CONTES PERVERS

Née dans le Poitou, Régine Deforges est élevée dans des institutions religieuses. Très tôt les livres seront son univers d'élection. Tour à tour libraire, relieur, éditeur, scénariste, réalisateur et écrivain, sa volonté de liberté d'expression lui vaut bien des déboires. Elle est en 68 la première femme éditeur, mais le premier ouvrage qui paraît, attribué à Aragon, est saisi 48 heures après la publication.
En 1974 elle publie un catalogue d'ouvrages anciens : Les Femmes avant 1960 *et, en 1975, ses entretiens avec l'auteur d'*Histoire d'O *:* O m'a dit. *En 1976 paraît son premier roman,* Blanche et Lucie, *l'histoire de sa grand-mère, suivi du* Cahier volé *dont Roger Vadim prépare la version cinématographique, puis des* Enfants de Blanche *en 1982.*
Première œuvre érotique, Les Contes pervers, *est écrite et réalisée au cinéma en 1980, avec succès. La même année, Régine Deforges publie un roman historique* La Révolte des Nonnes.

Contes des mille et une nuits à Hong Kong, Paris, Athènes, aux Antilles, en Italie ou dans la Forêt-Noire, soumises à une seule loi, celle de la sensualité franche et libre. Ces contes pervers fascinent le lecteur.
Ils amusent et surprennent par leur variété : il en est de paillards et de mystiques, de tragiques et de comiques. Certains évoquent un couple, d'autres deux ou plusieurs hommes et une seule femme.
Enfin l'un des trop rares ouvrages érotiques [illegible] femme.

ŒUVRES DE RÉGINE DEFORGES

Dans Le Livre de Poche :

O M'A DIT.
BLANCHE ET LUCIE.
LE CAHIER VOLÉ.
LOLA ET QUELQUES AUTRES.
LA RÉVOLTE DES NONNES.
LES ENFANTS DE BLANCHE.
LA BICYCLETTE BLEUE.

RÉGINE DEFORGES

Contes pervers

FAYARD

A Jean-Jacques Pauvert,
qui sait de quoi je parle...

Le conte a pour unique but d'amuser; son mérite consiste dans la manière piquante ou naïve de raconter des faits qui n'ont aucun fondement réel.

LAROUSSE DU XIXe SIÈCLE

Une préface ou introduction est-elle bien nécessaire à ce genre de recueil ? Ne risque-t-elle pas d'importuner le lecteur qui n'a que faire des explications ou des justifications souvent maladroites d'un auteur qui, dans le fond, au moment où son livre part vers le public, voudrait le retenir, tant il est conscient des imperfections et des maladresses de l'ouvrage. Mais le navire est lancé et, bien ou mal, il convient de le conduire à bon port. Certains de ces contes ont fait l'objet d'un fort méchant film. Ce n'est pas le lieu de dire pourquoi, si ce n'est qu'il y a un monde entre l'érotisme au cinéma et l'érotisme littéraire et qu'il y faut un talent, une rigueur, une autorité et un métier qui m'ont fait défaut.

Je laisse au lecteur le soin de juger si je me suis mieux débrouillée ici qu'au cinéma et si ces Contes pervers *— mais le sont-ils vraiment ? — lui apportent la distraction qu'il en attend.*

RÉGINE DEFORGES

Made in Hong Kong

Si tu savais ce que c'est, You,
Qu'une Française, et tendre;
Douce à la main, douce à
[l'entendre :
Du feu... comme un caillou.

P.J. TOULET, *Les Contrerimes,*
« Princes de la Chine ».

« CARTES. »

La voix rauque de Jeanne parut plus sourde encore au directeur du cercle de jeux. Depuis de longues minutes, debout derrière elle, il la regardait perdre. Qu'allait dire son ministre de mari quand il lui réclamerait le remboursement des sommes prêtées à sa femme ? Cela amena un mauvais sourire sur les lèvres minces de Monsieur Georges, comme l'appelaient les employés. C'était un homme très grand, presque maigre, d'une élégance recherchée, avec, cependant, cette pointe d'excès dans la perfection qui dénote une certaine vulgarité d'esprit. Il eût été séduisant sans ses mains épaisses de tueur et ce regard dur qui ne s'adoucissait que dans la méchanceté.

Pour le moment, ses yeux allaient des mains fines, aux ongles soigneusement faits, dont les mouvements faisaient scintiller un saphir superbe et les diamants d'une alliance, aux épaules découvertes par une robe du soir de taffetas rouge sombre.

Les belles mains laissèrent retomber les cartes avec lassitude. Jeanne regarda autour d'elle d'un air égaré. Elle était folle. En l'espace de quelques heures, elle venait de perdre plus de vingt mille francs. La veille, elle en avait perdu autant, l'avant-veille aussi... A combien se montait sa dette envers Georges ? Elle interdisait à son esprit de formuler le chiffre. Comment faire pour rembourser une telle somme ? Impossible d'en parler à Jacques qui, las de payer ses dettes de jeu, l'avait menacée de divorcer si cela se renouvelait. Elle savait que, cette fois, la menace était réelle. Bien que ministre depuis peu, il tiendrait parole, préférant redevenir simple député plutôt que de continuer à dilapider une fortune qui n'était déjà plus qu'un mythe. Au son de la voix de Georges quand il lui avait prêté la somme qu'elle venait de perdre, elle avait compris qu'il ne fallait plus compter sur lui. Demander à ses amis ? Pas question, elle leur devait déjà tellement d'argent ! Cette fois, c'était bien fini, elle ne jouerait jamais plus !

Elle prit son sac de perles, son briquet et ses cigarettes, et se leva péniblement. Son corps lui paraissait lourd, comme meurtri. Elle se heurta à Georges, qui s'écarta pour la laisser passer.

« Je voudrais vous parler. Pouvez-vous me suivre dans mon bureau ? »

Jeanne acquiesça et le suivit à travers les salles de jeux.

« Faites vos jeux, messieurs, faites vos jeux...

– Rien ne va plus.

– Le six gagne. »

J'aurais peut-être dû jouer à la roulette, pensa Jeanne. Georges sortit une clef de sa poche et ouvrit une porte matelassée de cuir vert.

« Entrez, asseyez-vous ! Que voulez-vous boire ? Whisky, champagne, porto ?

– Champagne, s'il vous plaît.

– Vous aimez le champagne rosé ? J'en ai là d'excellent. »

Il sortit une bouteille d'un réfrigérateur dissimulé derrière de fausses reliures, prit sur un plateau deux verres qu'il posa sur le coin de son bureau. Le bruit du bouchon fit sursauter Jeanne, qui était repartie dans ses noires pensées. Il versa à boire, un peu de mousse coula le long des verres. Il en tendit un à Jeanne qui le but d'un trait. Il lui reversa un autre verre et but lentement le sien en prenant place derrière son bureau. Son visage avait une expression parfaitement ennuyée.

« Vous vouliez me parler ? demanda Jeanne en s'asseyant dans l'un des deux fauteuils.

– Oui, je suis actuellement très embarrassé. Vous me devez cent cinquante mille francs. J'ai absolument besoin de cet argent.

– Mais je ne possède pas une telle somme !

– Demandez à votre mari...

– Vous savez mieux que personne que mon mari m'a interdit de jouer et qu'il refusera de payer.

– Il n'a pourtant guère le choix. »

Jeanne se leva avec colère.

« Vous me menacez ?

– Chère madame, ne le prenez pas sur ce ton. J'ai besoin de cet argent, vous devez me le rendre. »

Jeanne se rassit, au bord des larmes.

« C'est impossible, vous le savez bien !

– Vendez vos bijoux.

– C'est déjà fait. Avec quoi croyez-vous que je vous ai remboursé à chaque fois ?

– Et cette bague ?

– Elle appartenait à la mère de Jacques. Il y tient beaucoup.

– Je suis désolé, mais je dois appeler votre mari. »

Georges consulta son répertoire téléphonique, décrocha le récepteur et composa un numéro.

« Arrêtez ! »

On entendit une sonnerie.

« Je vous en supplie, arrêtez, je ferai tout ce que vous voudrez. »

Lentement, Georges raccrocha et regarda Jeanne, debout, très pâle, les mains appuyées sur le bureau. C'était une des plus belles femmes qu'il eût jamais vues : d'admirables cheveux d'un blond chaud, presque roux, des yeux verts, très clairs, un visage à l'ovale parfait, au menton creusé d'une fossette, un nez sans défaut, une bouche qui donnait aux hommes envie de la mordre, un corps à la poitrine opulente et haute porté par des jambes longues aux chevilles d'une finesse de pur-sang. Et puis, une distinction, une intelligence, un humour qui faisaient de Jeanne une des femmes les plus recherchées de Paris. Issue d'une vieille famille protestante vendéenne, elle tenait de son père ce goût du jeu qui avait empoisonné son enfance, ruiné sa mère, pour aboutir au suicide de son père. Elle jouait comme on se drogue, sans égards pour elle-même. Elle s'était fait interdire de jeu pendant des années, mais sa passion la poussait jusque dans des tripots ou des arrière-salles de café. Un jour, ayant provoqué malgré elle une bagarre, elle avait été grièvement blessée d'un coup de couteau. Cela la guérit des parties de poker en compagnie de malfrats de bistrots, mais non du jeu. Dès sa sortie de l'hôpital, son interdiction ayant expiré, elle retourna aux tapis verts des casinos et des cercles. Malgré son amour pour son mari et ses promesses de ne plus toucher à une carte, elle ne parvenait pas à se libérer de ce « vice coûteux », comme disait sa mère. Georges savait tout cela. Une fois, elle l'avait repoussé avec mépris, lorsqu'il lui avait fait comprendre qu'il y avait plusieurs manières de rembourser ses dettes. Depuis ce jour, il s'était juré de se venger.

« J'ai une mission à vous confier. Si vous acceptez, je vous rends tous les papiers que vous avez signés.

– De quoi s'agit-il? Transporter de la drogue? »

Jeanne avait dit cela d'un ton si méprisant que Georges eut du mal à se contenir.

« Vous avez une bien triste opinion de moi, chère madame. Il ne s'agit pas de drogue. Mais n'en parlons plus... »

Il allongea la main vers le téléphone.

« Pardonnez-moi, je suis fatiguée, je ne sais plus ce que je dis. De quoi s'agit-il?

– Il s'agit de porter des documents, oh! rien de secret, mais je tiens à ce qu'ils soient remis en mains propres, signés devant vous et rapportés par vous.

– Où dois-je aller?

– A Hong Kong.

– A Hong Kong ? Mais c'est au diable...

– Vous direz à votre mari que Mme Wong, votre amie antiquaire, ne peut se rendre à Hong Kong pour raisons de santé et qu'elle vous a demandé d'y aller à sa place.

– Vous avez pensé à tout !

– A tout ! Vous connaissez Hong Kong ? Non ? Moi non plus. On dit que c'est un endroit étonnant.

– Quand dois-je partir ?

– Oh !... la semaine prochaine. Mardi, par exemple. C'est d'accord ? Très bien, je vous ferai porter votre billet. En cette saison, il fait très doux à Hong Kong. »

« ... Lors d'un de vos séjours à Paris, vous avez exprimé le désir que les contrats vous soient apportés par une ravissante jeune femme. J'ai chargé une de mes amies de ce soin. Elle est ravissante, blonde et très élégante. Son seul défaut est un goût immodéré du jeu. J'espère qu'elle vous plaira, elle est à votre entière disposition. Elle arrivera le... »

Lotus, très jeune et très belle Chinoise, assise entièrement nue sur des coussins, posa la lettre sur ses genoux, attendant une réponse de l'homme à qui elle la lisait. Il était difficile d'imaginer quelque chose de plus monstrueux que ce Chinois dont la masse énorme était répandue sur un divan bas, tandis que deux jolies Thaïlandaises, torse nu, le massaient. Il devait peser près de deux cents kilos. Sous les doigts experts des filles, il poussait de petits grognements de satisfaction.

Il éclata d'un rire qui fit sursauter la jeune Chinoise.

« Georges est capable de tout pour conclure un accord. Si cette femme est aussi belle qu'il le dit, je vais bien m'amuser. Qu'en penses-tu, Lotus ?

– Je croyais, maître, que vous n'aimiez pas les femmes blanches...

– C'est vrai, mais celle-ci est particulière, paraît-il. Même Tchou, qui l'a vue chez Georges, m'a dit le plus grand bien d'elle... Elle réussira peut-être à me redonner une vigueur que tu n'es même plus capable de faire renaître, chienne ! »

Il lança vers elle un superbe vase posé près de lui sur une table basse. Le vase se brisa aux pieds de Lotus sans l'atteindre. D'un mouvement d'épaules, il repoussa les filles, qui cessèrent leur massage. Elles ramassèrent une somptueuse robe de soie et en enveloppèrent Truong. Lotus vint se blottir contre lui en se frottant comme un jeune animal. Elle paraissait minuscule à côté de cette montagne de chair.

« Maître, j'ai une surprise pour vous... Ce soir, je vous apporterai une pièce qui manque à votre collection. »

Le visage de Truong s'illumina.

« Voilà une bonne nouvelle. » Puis, avec colère, il repoussa la jeune fille qui tomba sur les coussins. « Idiote, si tu me le dis, ce n'est plus une surprise ! »

Il sortit de la pièce, drapant autour des bourrelets de son corps la robe de soie brodée. Une des masseuses posa sur les épaules de Lotus un kimono jaune d'or.

Lotus prit le star ferry pour Kowloon, puis le trolleybus à impériale à Salisbury Road, et descendit à Jordan Road. Elle portait le pantalon et la tunique de coton noir des vieilles femmes pauvres d'Aberdeen et de Repulse Bay. Mais, sur elle, ce vêtement simple et fonctionnel avait l'air de sortir de chez l'un des tailleurs du Mandarin ou du Peninsula. Elle se dirigea vers Nanking Street et tourna dans Reclamation Street. C'était une petite rue très animée avec ses restaurants en plein air, ses marchands de fruits, son grand magasin de ferblanterie, sa boutique de paillettes, son tailleur en plein air, sa pharmacie de remèdes chinois et son antiquaire à la vitrine encombrée de bouddhas dorés, de divinités de porcelaine, de paravents incrustés de nacre, de bracelets de jade, de robes de mandarins, d'éventails. Lotus poussa la porte étroite et se retrouva entre deux murs d'objets hétéroclites dont les ors brillaient dans la pénombre. De derrière un de ces murs surgit un très vieil homme qui portait une longue robe grise à l'ancienne mode. Il s'inclina à plusieurs reprises. Ses mains très maigres décrivant des arabesques compliquées, il parlait très vite, en hochant la tête ou en souriant, découvrant une mâchoire édentée. Il prit une longue boîte de laque rouge doublée de soie noire sur laquelle reposait un magnifique olisbos de jade. Lotus sortit l'objet de son écrin et le contempla longuement.

« Il est vraiment très beau. »

Le vieil homme riait de plaisir.

« C'est une pièce unique, digne des plus grands

musées du monde. Il paraît qu'il a appartenu à une de nos impératrices. Je l'ai reçu de Pékin il y a deux jours. L'ambassadeur américain, l'attaché culturel français et même Sir Stephen, le cousin de la reine, m'en ont proposé une fortune. Mais je tiens pour un honneur de le vendre à mon éminent compatriote, M. Truong. »

Lotus sortit de la poche de son pantalon une liasse de dollars américains. Le vieil homme s'en empara, les compta en hochant la tête, avec de petits rires de satisfaction, puis les glissa dans une de ses vastes manches.

« C'est bien cela », dit-il en enveloppant le coffret qu'il remit à Lotus.

Jeanne fut très impressionnée par l'atterrissage sur la piste de l'aéroport de Hong Kong, et c'est avec soulagement qu'elle posa le pied sur le sol chinois. De nombreux hommes se retournaient sur elle, détaillant ostensiblement les charmes de la jeune femme. Un Chinois en tenue de chauffeur de maître accompagné d'un douanier s'inclina devant elle.

« Madame Robert Descarpes ?

– C'est moi.

– Je suis le chauffeur de M. Truong, il m'a envoyé vous chercher. Voici monsieur Chéong, grâce à qui les formalités de douane seront simplifiées. »

Le douanier dit quelques mots en chinois au chauffeur et fit signe de le suivre. Jeanne récupéra ses bagages en un temps record et se retrouva dans une splendide Rolls dernier modèle. Elle regarda cette ville qu'elle ne connaissait pas, où les élégants caractères chinois donnaient à la plus banale des façades un air de fête. Ils prirent le tunnel et traversèrent Causeway Bay. La circulation était très dense et une foule compacte déambulait sur les trottoirs au pied des gratte-ciel. Le trafic devint plus fluide. Ils prirent de larges avenues montantes bordées d'immeubles élégants, de jardins. Bientôt, ils dominèrent la baie de Hong Kong. Jeanne fut immédiatement conquise par tant de beauté. La voiture grimpa encore et s'arrêta devant un large portail de bois vert sombre surmonté d'un auvent de tuiles vernissées dans l'ancien style chinois. Le portail s'ouvrit, la voiture roula quelques instants entre des haies d'hibiscus et stoppa devant une immense demeure aux toitures de tuiles vertes sur lesquelles des dragons semblaient monter la garde.

Lotus, vêtue d'une sorte de pyjama de soie rouge et noir, entourée de trois servantes en pyjama rose, attendait sur les marches. Le chauffeur ouvrit la portière. Jeanne descendit, regardant autour d'elle, Lotus s'avança et s'inclina.

« L'Honorable Madame Robert Descarpes ? »

Jeanne sourit.

« Je suis l'Honorable Madame Robert Descarpes, mais mon prénom est Jeanne.

– Si Madame Jeanne Descarpes veut bien me suivre jusqu'à sa chambre pour se reposer. M. Truong, mon maître, demande si vous voulez bien lui faire l'honneur de dîner avec lui ce soir ? »

Les plats se succédaient, plus savoureux les uns que les autres. Jeanne, gourmande, en avait presque oublié l'aspect répugnant de son hôte, dont le smoking blanc faisait paraître encore plus impressionnant le monstrueux embonpoint.

« Votre cuisinier est un chef remarquable.

– Quel compliment de la part d'une Française, et plus spécialement de vous, chère madame, dont je devine les goûts raffinés... »

Jeanne, pour se donner du courage, avait beaucoup bu. Ses yeux brillaient anormalement. Elle était très belle. Un long fourreau de satin rouge, fendu sur le devant, mettait en valeur son corps élégant. Ce fut d'un ton rêveur et provocant qu'elle dit en regardant Truong dans les yeux :

« Oui, j'aime ce qui est précieux et rare, objets ou instants.

– Je suis de votre avis. J'ai une très belle collection. Vous plairaît-il de la voir ? Elle est unique au monde. J'ai reçu cet après-midi une pièce rarissime.

– Avec joie. »

Truong se leva et fit signe à un domestique. Ce dernier aida Jeanne à se lever. Elle suivit le gros Chinois jusqu'à une pièce dont l'entrée était masquée par une lourde tenture. Derrière le rideau, une porte blindée s'ouvrait comme la porte d'un coffre-fort. Truong s'effaça pour laisser passer Jeanne.

La pièce dans laquelle elle entra était sombre. Peu à peu, auréolé d'une lumière qui venait du sol, apparut dans le fond de la salle, un magnifique bouddha doré irradiant une douce sagesse.

Sa beauté calma les appréhensions de Jeanne. Tout à coup, sur la droite, un projecteur s'alluma, éclairant un olisbos d'améthyste de dimensions moyennes, tandis que sur la gauche surgissait un sexe d'ivoire poli dont la base était un enchevêtrement de corps féminins, celui-ci d'une taille impressionnante; un, de corail, n'était qu'une dentelle; un, d'èbène sombre, avait un air menaçant; un, en argent, était curieusement surmonté d'un globe; un autre en or se terminait par des aiguilles... Chaque projecteur, en s'allumant, révélait un chef-d'œuvre de l'art érotique. Jeanne, émerveillée, regardait en silence ces représentations précieuses du phallus de l'homme. Elle était entourée d'olisbos de toutes matières – n'y avait-il pas, au milieu de ces trésors, un humble phallus de paille tressée? – et de toutes tailles. Jeanne allait de l'un à l'autre, éprouvant une émotion qu'elle essayait de maîtriser.

« Voici ma dernière acquisition », dit Truong en lui montrant l'olisbos de jade posé sur un socle devant son écrin.

« Quelle beauté! D'où proviennent ces merveilles?

– De Chine, principalement. Seul un peuple d'un haut degré de civilisation et d'un grand raffinement a pu en produire de pareilles. Cependant, certains de ces objets viennent d'Afrique, d'Egypte et de la Rome antique, de l'Inde et du Japon. Presque tous ont été utilisés, ajouta-t-il avec un regard appuyé vers Jeanne.

– Tous... fit-elle en caressant machinalement un phallus de taille gigantesque.

– Presque tous, et celui-ci en particulier »,

dit-il en l'effleurant de sa main difforme aux doigts d'une curieuse finesse.

Ils se regardèrent en silence, sans cesser de caresser l'impressionnant objet. Ce fut Truong qui parla le premier.

« En voici qui sont utilisés pour élargir les filles trop étroites. Ceux-là servaient à punir les femmes adultères. »

Il montra une série d'olisbos d'aspect anodin et de taille plutôt moyenne. Il en prit un et, d'un geste, libéra des pointes acérées. Jeanne recula devant le sourire cruel du gros Chinois.

« Vous devez être lasse. Je vais vous faire conduire à votre chambre. Nous nous verrons demain, dormez bien. Je vais appeler Lotus. »

Il lui baisa la main et la regarda partir en compagnie de la jeune Chinoise.

Dans sa chambre au confort qui n'avait rien d'asiatique, deux jeunes domestiques l'attendaient pour l'aider à se dévêtir. Fatiguée, Jeanne se laissa faire avec indifférence.

« Vous êtes aussi belle que la lettre de M. Georges le laissait prévoir. »

Jeanne se retourna et sourit.

« Vous êtes très belle aussi. Qui êtes-vous ? »

Lotus fit signe aux servantes de sortir et tendit à Jeanne un kimono aux riches broderies. Elle s'agenouilla avant de parler.

« Je suis la maîtresse de M. Truong et son esclave. Il m'a achetée à mes parents quand j'avais dix ans. Il aime essayer sur moi ses olisbos... C'est avec l'un d'eux qu'il m'a dépucelée quelques jours après m'avoir achetée.

– Vous le haïssez ?

– Non... pourquoi ?

Jeanne attira le visage de Lotus vers elle et l'embrassa légèrement sur la bouche.

« Laisse-moi, j'ai sommeil. »

Lotus se leva comme à regret et se dirigea lentement vers la porte.

Le lendemain matin, Truong et Jeanne prirent leur petit déjeuner sur une terrasse dominant la baie, enveloppés dans de longues robes de mandarins aux couleurs vives. Près d'eux, sur la table, les contrats que Jeanne devait lui faire signer.

« Nous verrons cela plus tard. Vous devez visiter Hong Kong, le Sung Dynasty Village fondé en 960, le monastère de Lin Yan dans l'île de Lantau, les nouveaux territoires, faire le tour des îles à bord de mon bateau, rendre visite, dans Humphrey's Avenue, au plus grand marchand de perles de Hong Kong, mon ami Chow, aller jouer à Macao...

– Je ne veux pas jouer, coupa Jeanne, sèchement.

– A votre aise, chère madame, laissons tomber Macao. Il existe ici suffisamment de salles de jeux clandestines pour vous amuser, si vous le désirez. Rien de comparable avec Macao, mais cela mérite d'être vu. Lotus connaît bien tous ces endroits, elle se fera un plaisir de vous les montrer. Mes affaires me retiennent malheureusement toute la journée, sinon, ç'aurait été un honneur pour moi de vous accompagner. J'ai commandé la voiture pour onze heures. Cela vous convient-il ?

– Parfaitement. Quant aux contrats...

– Laissez, nous avons le temps. Lotus... Lotus ! Ah ! te voilà. Conduis Mme Descarpes faire du shopping, chez Chow puis au marché aux voleurs. Vous déjeunerez au Mandarin, j'ai fait retenir une table. »

Quand, en fin d'après-midi, elles rentrèrent à la villa de Truong, Jeanne était ravie et épuisée par sa journée. Lotus et elle, abandonnant voiture et chauffeur, avaient arpenté Kowloon en tout sens. Elles revenaient les bras chargés d'emplettes. Lotus avait refusé que le moindre achat fût effectué par Jeanne, disant que M. Truong serait très fâché qu'il en allât autrement. Agacée, elle avait limité son choix.

Après un bain qui la reposa, elle s'habilla pour le dîner. Comme la veille, il fut somptueux. Truong avait invité quelques-uns de ses amis. La soirée se prolongeant, Jeanne se retira et sombra dans un sommeil sans rêves.

Le lendemain, elles firent le tour des îles. Le soir, Lotus lui proposa de visiter le Hong Kong nocturne. La voiture les déposa dans le port d'Aberdeen. Là, Lotus héla une frêle embarcation conduite par une très vieille femme qui les conduisit sur un immense bâtiment rouge et or, violemment illuminé, dont le restaurant était très fréquenté par les touristes. Elles furent accueillies par le patron, qui les conduisit à travers un dédale de couloirs, d'escaliers, de salles faiblement éclairées, jusqu'à une pièce enfumée, bourdonnant des voix d'une centaine de personnes, la plupart chinoises, installées, assises ou debout derrière des tables de jeux. Jeanne marqua un temps d'arrêt, décidée à faire demi-tour, mais elle n'avait jamais pu résister à l'atmosphère d'une salle de jeux – qu'elle se trouvât à Rome, Londres, Paris ou Hong Kong. Elle resta.

« Vous avez deviné mon penchant.

– Venez », dit Lotus avec un imperceptible sourire sur son visage lisse qui ne laissait deviner aucune de ses pensées.

Elle sortit de sa poche une impressionnante liasse de dollars américains et s'avança vers la caisse pour les changer. Jeanne la devança et ouvrit son sac.

« Moi aussi, j'ai de l'argent.

– Laissez, vous êtes l'invitée de M. Truong. »

Les mains remplies de plaques, elles se promenèrent parmi les tables.

« A quoi voulez-vous jouer ? A la roulette, au baccarat ? »

La dernière fois, au baccarat, j'ai perdu, pensa Jeanne. En quittant Paris, la malchance a dû m'abandonner...

« Au baccarat. »

Deux places étaient libres à une table de baccarat. Elles s'y installèrent, provoquant chez les joueurs une curiosité vite dissipée. Lotus jouait avec indifférence. Quant à Jeanne, après avoir gagné, elle se mit à perdre avec régularité. Bientôt elle eut perdu tout ce que Lotus lui avait remis. Elle sortit son propre argent de son sac, on le lui changea et le jeu reprit. A nouveau elle perdit. Elle se tourna vers sa compagne qui, debout auprès d'elle, avait cessé de jouer, et lui dit d'un ton sec :

« Donnez-moi de l'argent ! »

Sans un mot, Lotus lui donna un rouleau de billets. Une brusque tension s'installa à la table où régnait un silence lourd, troublé seulement par les demandes des joueurs. Tous les yeux étaient braqués sur cette belle femme vêtue d'un élégant tailleur de soie blanche. Elle jouait avec une passion qui, même contenue, éclatait aux regards avertis. Le hasard, comme pour mieux se moquer d'elle, la laissa gagner une fois, deux fois. Puis elle se remit à perdre. Son cœur battait fort, ses mains devenaient moites, son front se couvrit de fines gouttes de sueur. Elle chercha des yeux la jeune Chinoise, mais celle-ci semblait avoir disparu. L'homme qui les avait accueillies se pencha vers elle et lui remit une poignée de plaques.

« Mlle Lotus a dû partir, elle m'a remis ceci pour vous. »

Durant un très court instant, Jeanne eut honte de son soulagement.

« Cartes, s'il vous plaît. »

Sa gorge sèche lui faisait mal, ainsi que ses yeux irrités par la fumée de centaines de cigarettes. A nouveau, très vite, elle perdit. Elle se tourna vers l'homme, toujours derrière elle. Il secoua négativement la tête.

Un grand froid tomba sur Jeanne. Brusquement, elle sentit la fatigue accumulée par ces heures d'attention soutenue. Rassemblant toute son énergie, elle parvint à se lever. Elle devait être très pâle, car le Chinois s'avança pour la soutenir.

« Un verre d'eau, je vous prie.

– Mon nom est Li Tsé-tung. Mlle Lotus a laissé un message pour vous. Tenez, buvez. »

Il lui tendit le verre d'eau que venait d'apporter un serveur. Il la laissa boire avant de lui remettre le billet de Lotus : « J'ai faim, demandez à Li Tsé-tung de vous accompagner chez Mao.

– Si vous voulez bien me suivre, je vais vous conduire auprès de votre amie. »

Trop lasse, trop écœurée d'elle-même, Jeanne, blottie sur le siège de la minuscule jonque, n'avait pas un regard pour ces embarcations surchargées de femmes et d'enfants malgré l'heure tardive, ces restaurants flottants, cette ville aquatique. Elle se laissait conduire sans éprouver le désir de savoir où on l'emmenait. Des gens dormaient sur le pont des embarcations, réveillés parfois par le bruit du moteur. La jonque circulait à présent parmi un enchevêtrement de canaux d'où montait une odeur de vase et de poisson pourri. Après un temps assez long, elle s'arrêta contre le flanc d'une jonque beaucoup plus grande. Un peu de lumière filtrait à travers les planches disjointes. Ils accostèrent, Li Tsé-tung aida Jeanne à monter à bord. Ils pénétrèrent dans une pièce si enfumée qu'on n'en distinguait pas le fond. L'éclairage réduit accentuait l'étrangeté de l'endroit. Des hommes, aux mines inquiétantes, assis autour d'une longue table sur laquelle étaient peints des chiffres et des caractères chinois à demi effacés par endroits, levèrent les yeux à son entrée et la contemplèrent. Jeanne eut un mouvement de recul. On la poussa dans la pièce. Tout à coup, Lotus fut près d'elle, son visage inexpressif semblant encore plus enfantin au milieu de ces hommes dont certains avaient de telles expressions de bêtise, de cruauté ou de bassesse que Jeanne ne pouvait les regarder sans frissonner de peur et de dégoût. Lotus lui tendit un grand verre plein d'une boisson dorée.

« Buvez, vous êtes toute pâle, cela vous fera du bien. »

Machinalement, elle obéit et but son verre à longs traits. Un doux parfum de pêche emplit sa bouche. Lotus la regardait en souriant.

« Je suis sûre que cet endroit vous plaira. Il est assez particulier... C'est soi-même que l'on joue ici. Je vous ai proposée comme enjeu à ces messieurs... Si vous gagnez, bien entendu, vous empochez l'argent... Si vous perdez, vous devez accorder à chacun ce qu'il vous demandera... Vous acceptez ?

– Vous êtes folle !

– Mais non, vous verrez, c'est très facile.

– Et si je refuse ?

– Vous n'avez guère le choix. A votre place, j'accepterais. Ils ont déjà donné beaucoup d'argent pour pouvoir jouer avec vous... »

Jeanne regarda autour d'elle, quêtant une aide qu'elle savait ne pouvoir trouver dans ce lieu.

« Que dira M. Truong quand il apprendra que...

– Le bateau est à lui. »

Elle n'eut même pas un mouvement de colère, comme si tout cela ne la concernait plus. Elle s'assit à la place que lui désignait la Chinoise. En quelques mots, celle-ci lui expliqua le jeu. Le chef de table agita trois dés en poussant un long cri qui rappelait celui du paon. Le jeu commença. Durant une heure, Jeanne gagna.

Puis elle perdit. Elle ne comprit pas et se débattit lorsqu'un Chinois, jeune, mais borgne, la força à se lever et la renversa sur la table au milieu des jetons, des verres de bière et d'alcool de riz et des cendriers débordant de mégots. Lotus se pencha à son oreille :

« Faites attention, on n'aime pas les tricheurs ici ! »

Les larmes coulaient sur les joues et le long du cou de Jeanne. Elle sentit avec horreur les mains humides de l'homme retrousser sa jupe, écarter sa culotte. Elle poussa un cri quand le sexe mince, dur, s'enfonça en elle. Ses mains se crispèrent sur le bord de la table. Pour plus de commodité, le borgne lui souleva les jambes, qu'il maintint largement ouvertes. Les assistants se mirent à rire, certains applaudirent. L'homme jouit très vite en poussant un petit cri de souris. Les jambes de Jeanne retombèrent. Un lourd silence s'abattit sur la salle enfumée. Lentement, Jeanne se redressa, le visage barbouillé de larmes et de traces de fard. Elle promena sur l'assemblée un regard hautain, rajusta sa jupe et dit en se levant d'une voix ferme et méprisante :

« Allons, messieurs, la partie continue. »

Elle se rassit. A nouveau, elle perdit. Cette fois, ce fut un homme à la figure extrêmement ridée et à la bouche pourrie qui l'attira à lui. Il la força à s'agenouiller et à prendre entre ses lèvres un sexe mou à l'aspect répugnant. Maintenant la tête de Jeanne entre ses mains rugueuses, il fut très long à jouir, malgré les encouragements de ses camarades. Quand il eut fini, Jeanne, le visage souillé, tomba.

La boisson au goût de pêche coula entre ses lèvres. Lotus, agenouillée à ses côtés, la faisait boire.

« Il ne faut pas montrer ainsi votre dégoût. Ce sont des hommes susceptibles, ils risquent de le prendre mal. »

Jeanne, très pâle, les traits tirés, les yeux rougis, se leva en prenant appui sur la table. Les hommes ne la quittaient pas des yeux, mais la regardaient sans impatience, sachant qu'à leur tour ils plieraient à leurs caprices, à leurs désirs les plus bestiaux, cette belle étrangère qui les considérait avec mépris. C'étaient des hommes simples pour la plupart, pêcheurs, manœuvres, porteurs à l'esprit obscurci par un travail pénible, à qui on avait offert cette aubaine : une jolie femme et de l'argent pour jouer.

La partie reprit. Elle gagna pendant quelques tours, beaucoup, puis reperdit. Un gros homme au visage couturé de cicatrices, une sorte de géant, l'arracha à son siège et la jeta à plat ventre sur la table. Un verre de bière se renversa, imprégnant sa chevelure. Elle cria longtemps, tandis que l'homme la sodomisait.

Dans la salle, les rires redoublèrent.

Quand Jeanne se releva, un peu de sang tachait la jupe de son tailleur blanc, qui n'était plus qu'un chiffon déchiré par endroits. La partie continua. Jeanne gagnait, Jeanne perdait, il lui semblait flotter au-dessus du sol. Son ventre meurtri, ses seins malmenés, elle se sentait comme une étrangère à elle-même. Son corps ne lui appartenait plus, il vivait une vie indépendante, elle le regardait vivre, se débattre. Mieux : elle était son propre voyeur. Tout à coup, un plaisir brutal, sauvage, immense, l'envahit. Elle s'entendit crier, puis gémir. Des dizaines de mains la caressaient, la griffaient, fouillaient les recoins de son corps, des sexes entraient en elle, violant ses lèvres, son ventre et ses reins. Elle était ouverte, offerte à tous. Le plaisir qu'elle en éprouvait était autant mental que physique. Peu à peu, son intensité devint telle qu'il se fit douleur. Elle s'entendit hurler une dernière fois, puis sombra dans un brouillard rouge.

Quand Lotus entra dans sa chambre, il devait être un peu plus de trois heures de l'après-midi. Elle ouvrit les rideaux. La belle lumière d'octobre inonda la pièce.

Jeanne bougea, se cachant les yeux de son avant-bras. Lotus s'assit sur le lit.

« Vous avez bien dormi ? »

Jeanne s'étira en murmurant un oui languissant. Souriante, elle regarda Lotus. Puis, brusquement, son sourire se transforma en une grimace de fureur, elle se précipita et saisit la Chinoise à la gorge.

« Salope... salope ! »

Lotus se dégagea avec souplesse et, à son tour, la maîtrisa.

« Vous n'avez pas toujours détesté, hier... »

Jeanne se sentit rougir. Elle tenta de se dégager, mais malgré sa petite taille, Lotus était plus forte qu'elle. Elle cessa de lutter et éclata de rire. Lotus joignit son rire au sien.

« Si vous aviez vu la tête du patron devant tout l'argent que vous avez gagné hier soir. Tenez, regardez ! »

Elle ramassa sur le tapis la grande pochette de cuir blanc gorgée de billets et la vida sur la tête de Jeanne. Elles s'amusèrent pendant quelques instants à faire voler les billets tout autour d'elles, puis retombèrent sur le lit, les yeux brillants. Jeanne attira la petite contre elle et commença à défaire les agrafes de sa robe fendue.

« Pourquoi as-tu fait cela ?

– Vous étiez très belle. »

Le joli corps aux seins menus de Lotus parut très sombre à côté de celui, pâle et opulent, de Jeanne.

Dans le bureau de Truong, Jeanne attendait que le Chinois eût fini de lire et de signer les contrats qu'elle lui avait apportés.

« C'est bien... Vous direz à M. Georges que je suis très content de lui et que je le félicite d'avoir des amies telles que vous.

– Georges n'est pas un ami, une simple relation tout au plus.

– Une simple relation, peut-être, mais qui m'a valu le grand plaisir de vous connaître.

– Et maintenant, qu'attendez-vous de moi ?

– Maintenant ? Vous rentrez en France après

un séjour qui, je l'espère, vous aura été agréable.

– C'est tout ?

– C'est tout... mais c'est énorme. Vous m'avez donné, sans le savoir, beaucoup de plaisir. J'étais à bord du bateau, je vous ai vue jouer... C'était très beau, très émouvant. J'ai joué aussi avec vous, longuement... »

Jeanne se leva, pâle de colère et d'humiliation.

« Vous...

– Ne dites rien, ne gâchez pas le merveilleux souvenir que j'ai de vous. Rien ne peut effacer ce qui a été... Et puis, je suis sûr que, dans le fond de vous-même, vous ne regrettez pas cette nuit. »

Jeanne baissa la tête, sachant qu'il avait raison.

« Pour vous remercier et en souvenir de votre trop bref séjour, j'ai pensé qu'un petit cadeau vous ferait plaisir... »

Il lui tendit un paquet soigneusement emballé. Elle fit le geste de l'ouvrir.

« Ne l'ouvrez pas maintenant, je vous en prie. »

Confortablement installée dans son fauteuil de première classe, Jeanne regardait s'éloigner l'Asie en buvant une coupe de champagne. Comme à l'aller, les formalités de douane avaient été simplifiées. Le paquet de Truong, posé sur le siège vacant à côté de Jeanne, n'avait pas été ouvert. Elle ne résista pas au désir d'en connaître le contenu et défit l'emballage. Une très jolie boîte de laque incrustée d'ivoire et de nacre apparut. Elle l'ouvrit. Sur un lit de satin noir étincelait l'olisbos de jade. Elle le prit et le contempla avec admiration sous l'œil un peu choqué de l'hôtesse. Au fond de l'écrin, une petite carte. Elle la retourna et éclata de rire en lisant : *Made in Hong Kong.*

Le placard aux balais

O jeune adolescent, tu rougis
[devant moi.
Viens. Il est d'autres jeux que
[ceux de l'enfance.

ANDRÉ CHÉNIER, *Lyde.*

AVEC une insistance troublante, l'enfant continuait à fixer ses jambes croisées sous le bureau. Elle n'osait plus bouger, sentant qu'il épiait le moindre mouvement qui lui permettrait d'entrevoir l'intérieur de ses cuisses. Elle maudit la mode qui, à nouveau, raccourcissait les jupes. Pour une fois qu'elle ne faisait pas son cours en pantalon ! Elle s'en voulait d'avoir cédé à la demande de son nouvel amant, prof de philo à Louis-le-Grand. Si encore elle avait mis un collant ! Mais non, toujours pour lui plaire, elle avait mis le ridicule porte-jarretelles noir qu'elle n'acceptait de porter que pour pimenter leurs ébats. Et ce n'était pas tout, elle n'avait pas de culotte. Elle était sûre que ce maudit gamin l'avait deviné quand tout à l'heure, oubliant sa tenue, elle avait mis un pied sur sa chaise, comme elle faisait souvent lorsqu'elle commentait les notes de ses élèves. Il avait une façon de la regarder qui lui donnait la chair de poule.

Depuis la rentrée, elle n'avait pas fait très attention à ce garçon plutôt taciturne, qui dès le début s'était installé au premier rang. Elève moyen, sans dons ni problèmes particuliers, il suivait les cours avec une indifférence qu'elle jugeait affectée. Assez beau, treize ou quatorze ans, des cheveux châtains frisés qui ne connaissaient pas souvent le peigne, des yeux très noirs et dont le sérieux surprenait dans le visage rond encore enveloppé d'enfance. De taille moyenne, la démarche un peu nonchalante, vêtu, comme tous ses camarades, d'un jean, d'un tee-shirt et d'un blouson, il ressemblait à tous les garçons de son âge. Il avait fallu qu'elle surprenne son regard pour se sentir, au milieu de sa classe, complètement nue. Elle avait rougi comme cela ne lui était plus arrivé depuis longtemps. Quel petit con, pensa-t-elle, il n'a jamais vu une femme? Dans un mouvement d'humeur, elle décroisa les jambes, puis les referma brusquement. Il m'énerve, je vais le foutre à la porte. Vivement la fin du cours... encore un quart d'heure. Mais... que fait-il? Pourquoi a-t-il mis ses mains sous la table? Il se branle... Je suis sûre qu'il se branle... En voilà des façons, en classe, devant ses camarades!

« Trémollet, apportez-moi votre copie! »

Ah! elle allait bien rire en le voyant se réajuster! Il se leva sans manifester la moindre gêne et sans le moindre désordre dans ses vêtements, prit son devoir et le lui apporta, nonchalant, silencieux sur ses baskets blanches.

« Vous n'avez rien écrit, pourquoi?

– Je n'ai pas compris la leçon.

– Il fallait le dire tout à l'heure! Restez après le cours. Je vous expliquerai. »

Qu'est-ce qui lui avait pris de dire ça? Elle était complètement folle. Rester seule avec un gamin obsédé ! Elle pensa : c'est toi, ma pauvre fille qui es obsédée... Où as-tu vu que ce gosse se branlait ? C'est comme tes cuisses, il s'en fout de tes cuisses.

Soulagée, elle écarta délibérément ses jambes et fit semblant de lire. Elle crut entendre le gamin avaler sa salive. Elle sentait son regard fouiller son entrejambe, écarter ses lèvres, se fixer sur son clitoris et s'enfoncer à l'intérieur de son ventre. Elle ferma les yeux, sa bouche s'entrouvrit, ses seins tendus lui firent délicieusement mal, elle avait une envie folle de faire l'amour. Elle rouvrit les yeux et ses jambes. Je suis une salope, se dit-elle, qu'est-ce que j'ai besoin de provoquer ce pauvre petit ? Les autres vont finir par s'en apercevoir...

Le cours se termina sans incident. Dans le brouhaha habituel, les élèves rangèrent leurs affaires et sortirent en se bousculant et en criant. Trémollet resta assis. Le brusque silence qui s'abattit sur la salle de classe ramena un peu de lucidité dans son esprit. Mais la violence de son désir balaya toute prudence. Elle alla s'asseoir dans la fond de la classe.

« Venez près de moi, Trémollet ! Apportez votre livre et vos cahiers. » Toujours avec nonchalance, le garçon s'approcha et s'assit auprès de son jeune prof de maths.

« Qu'est-ce que vous ne comprenez pas, mon petit Trémollet ?

– Ça. » Et il mit sa main sur la cuisse de la jeune femme.

« Ça ! » dit-elle d'une voix étranglée, en prenant la main aux ongles rongés et en la guidant sous sa jupe. Ensemble, leurs deux mains atteignirent la peau douce au-dessus du bas. Les doigts du gamin s'y enfoncèrent méchamment.

« Arrête... tu me fais mal ! »

Les doigts progressèrent et s'arrêtèrent à la toison humide.

« Pourquoi t'arrêtes-tu ?

– On ne peut pas rester ici, ils vont venir faire le ménage.

– C'est vrai, j'oubliais... Où veux-tu aller ?

– Venez, je connais un endroit tranquille. » Il porta à ses narines ses doigts imprégnés de l'odeur de la femme. « J'aime bien... Ça sent bon... »

Précoce, en plus, pensa-t-elle. Elle prit les copies sur son bureau, les fourra dans le cabas qui lui tenait lieu de porte-documents, suivit Trémollet et ferma la porte.

Il paraissait connaître le vieux lycée de fond en comble; il montait, descendait, tournait à droite, puis à gauche, traversait une cour, des cuisines, un réfectoire, s'arrêtait enfin devant une porte, et se tournait vers son professeur essoufflé :

« C'est ici », dit-il en poussant la porte.

Une odeur d'eau croupie, de chiffons pourris, d'huile froide, de craie mouillée, de pieds sales, de désinfectant et d'eau de Javel lui sauta au nez.

« Mais qu'est-ce que c'est que cet endroit ? C'est infect...

– Ici, on ne risque rien jusqu'à demain matin. C'est le placard aux balais de la cantine des demi-pensionnaires. Personne n'y entre à partir de quatre heures de l'après-midi.

– C'est peut-être tranquille, mais ça pue.

– Vous verrez, on s'habitue », dit-il en la poussant dans le placard et en refermant la porte sur eux.

Ils se retrouvèrent dans l'obscurité. Immédiatement, il se colla contre elle. Agacée, elle le repoussa.

« Tu ne vas pas nous laisser dans le noir? Allume la lumière!

– Il n'y a pas de lumière, mais l'autre jour j'ai vu qu'il y avait des bougies sur une étagère... Vous avez des allumettes ? »

Elle fouilla dans son sac et réussit à trouver son briquet. La faible lumière éclaira en tremblotant le réduit. Il trouva sans trop de peine le paquet de bougies. Il en restait deux. Le garçon en alluma une, fit fondre un peu de cire sur un coin de l'étagère et y fixa la bougie.

Le manque d'air, ces odeurs fades et sures écœuraient la jeune femme tout en éveillant en elle des souvenirs qu'elle croyait ensevelis à jamais dans sa mémoire. Elle devait avoir cinq ou six ans, elle allait en classe chez les religieuses de Nancy et avait une maîtresse, Mlle Jeanne, particulièrement repoussante. Vieille fille sans âge, toujours mal fagotée, ses épais bas gris tournaillant autour de ses jambes maigres aux pieds chaussés d'informes chaussures noires, les cheveux gras et clairsemés tirés sur le sommet de la tête en un maigre chignon, la peau terne et souvent parsemée de boutons et de points noirs, les lèvres minces se pinçant sur une denture chevaline, de petits yeux noirs et rapprochés d'une absolue méchanceté : telle était Mlle Jeanne. Elle détestait les enfants, et plus particulièrement ceux qui étaient beaux et bien mis. Elle ne savait qu'inventer pour les punir et les faire pleurer. En plusieurs années d'enseignement, elle était passée maître dans l'art du sadisme scolaire. Comme toutes les jolies filles, le professeur de mathématiques avait eu droit aux pinçons tournés, aux cheveux tirés, aux coups de règle sur les doigts et sur les mollets, aux fessées déculottées, aux longues stations à genoux dans un coin de la classe ou sous le bureau de la maîtresse, coincée entre les jambes grises qui se tendaient et se détendaient, heurtant l'enfant comme par oubli de sa présence et dont les mouvements libéraient les odeurs aigres retenues dans les dessous et les jupes de la vieille fille. Mais la punition suprême, c'était le placard aux balais. N'y allaient en principe que les enfants qui avaient fait une vraie bêtise : cahier taché, réponse insolente, pipi dans la culotte et autres fautes graves. Tous les petits écoliers avaient une peur affreuse du placard aux balais. Ils étaient prêts à subir toutes les punitions y compris la fessée déculottée et le dessous fermé de trois côté du bureau de Mlle Jeanne. En effet, quoi de plus épouvantable qu'un tel lieu qui renfermait – outre des bêtes molles et humides qui vous sautaient au visage dès que l'on vous y poussait et d'autres qui prenaient l'apparence de balais, de brosses ou de plumeaux mais qui étaient en fait des dragons et des diables déguisés – l'Ogre et le Loup. La seule menace du placard menait certains enfants au bord de l'évanouissement ou de la crise de nerfs. D'autres, traînés de force malgré leurs cris, leurs larmes et leurs coups de pied, en ressortaient pâles, les narines pincées, le regard fou et l'écume aux lèvres. Leur peur était telle qu'aucun enfant ne révéla à ses parents les sévices dont il était victime, tant il redoutait, s'il parlait, que l'Ogre ou le Loup vienne le chercher et le manger. Les parents les plus attentifs s'étonnaient des cauchemars qui réveillaient leur enfant la nuit, de sa peur de l'obscurité et, dans le meilleur des cas, l'emmenaient chez le pédiatre.

Souvent, elle avait été dans le placard aux balais.

Aujourd'hui, ce n'était pas Mlle Jeanne qui l'y avait mise, mais un de ses élèves. Celui-ci s'activait dans le fond du placard.

« Voilà, comme cela ce sera plus confortable. »

Elle n'eut qu'un mouvement à faire et se retrouva assise sur des sacs de jute sentant la pomme de terre. Trémollet la força à s'allonger. Elle le fit avec une répugnance absolue et la même peur paralysante de ses cinq ans. Comme à cette époque lointaine, elle se mit à respirer à petits coups comme pour se défendre des mauvaises odeurs. Elle poussa un petit cri quand son bras nu rencontra une serpillière humide et son cœur se mit à cogner de plus en plus fort. Les bêtes, les bêtes étaient là, comme étaient là, dans la lumière tremblotante de la bougie, les diables et les dragons, et sûrement l'Ogre et le Loup de son enfance. Elle appuya la tête du gamin contre son ventre, ferma les yeux et se mit à balbutier d'un ton suppliant et d'une voix de petite fille :

« Je ne le ferai plus, je vous le promets ! Je serai sage, je ferai tout ce que vous voudrez ! Je vous en prie... laissez-moi, laissez-moi ! J'ai peur...

je voudrais m'en aller. Oh ! pas le loup s'il vous plaît, pas le loup ! Il va me manger, il va me manger ! J'ai peur de ses grandes dents, de sa grande langue. Non, non, oh ! pas l'Ogre avec son grand couteau ! Il va m'ouvrir le ventre. Oh ! j'ai peur, j'ai peur... Mademoiselle... ses mains, elles m'attrapent, elles me déshabillent... Pas ma culotte, pas ma culotte, je n'ai pas de culotte, j'ai fait pipi dedans, Mademoiselle me l'a mise sur la tête devant toute la classe... Nana, elle riait tellement, qu'elle a aussi fait pipi dans sa culotte... Il me mange, Mademoiselle, il me mange le ventre. Ah ! que va dire maman quand elle apprendra que sa petite fille a été mangée... »

Trémollet s'agenouilla entre les jambes de son professeur et essuya son visage mouillé du revers de sa main. Elle était bizarre, sa prof, qu'est-ce qu'elle avait à jouer les gamines ? Quelle chaleur il faisait là-dedans... il serait mieux à poil. Sans se soucier de la femme allongée, jupe remontée, corsage déboutonné, cuisses ouvertes, qui continuait à geindre en tournant la tête à droite et à gauche, il se déshabilla. Elle prit conscience de sa présence et de sa nudité quand il s'allongea sur elle. Il l'immobilisa quand elle essaya de le repousser.

« Soyez gentille, Madame, c'est la première fois. J'ai jamais fait l'amour... »

Cet aveu la ramena dans le réel et chassa les fantômes du placard aux balais. Elle aussi avait l'impression que c'était la première fois qu'elle allait faire l'amour... C'était l'été, elle avait son âge, elle était en vacances à la campagne, dans un petit village, chez une tante de son père. La maison était grande et fraîche et sentait l'encaustique et les pommes. Il y avait le fils des voisins, grand garçon un peu demeuré avec lequel elle aimait s'enfermer dans les greniers, dans les caves ou dans les remises. Il la suivait partout, lui vouant une totale adoration. Elle faisait de lui ce qu'elle voulait, l'obligeant à aller chaparder les fruits des vergers, à voler des bonbons à l'épicerie-tabac-café du village, à la porter sur ses épaules durant des heures. Un jour qu'une grosse pluie d'orage les avait forcés à s'abriter dans une maisonnette qui servait de remise aux vieux outils, à la meule pour affûter les faux, aux chaudrons servant à préparer la pâtée pour les cochons, aux vélos cassés, aux pneus usés, au charbon, aux lessiveuses et aux brouettes, elle lui avait dit : « Déshabille-toi ! » Il avait fait non de la tête en disant : « Non, c'est mal. » Elle s'était moquée de lui, le traitant d'idiot, de couillon (comme l'appelaient les vieux : Eh ! grand couillon !).

« Puisque c'est comme ça, je jouerai plus avec toi ! Je te laisserai plus me porter. Je t'embrasserai plus ! Va-t'en ! »

Le pauvre Jacquot – c'était son nom – se mit à pleurer.

« Oh ! non, Olga, fais pas ça ! J'irai te chercher des petites fraises dans le bois... je connais un bon coin. Je ferai des meubles pour ta poupée...

– Je m'en fous. Déshabille-toi ! »

Et le Jacquot avait cédé.

Longtemps, dans la maisonnette au sol de terre battue, à peine éclairée par la lumière d'orage que laissait passer une petite lucarne, Olga tourna autour du garçon qui se tenait les bras ballants, la tête baissée, le visage mouillé de larmes, ses vêtements tombés à ses pieds.

« Tu as l'air encore plus bête que d'habitude comme ça. Retire tes sandales et sors tes jambes de ton pantalon ! »

Il obéit et plia son grand corps maigre. De la pointe de son espadrille, la petite fille donna de petits coups dans les testicules de son compagnon. Celui-ci se redressa d'un coup.

« Arrête, c'est pas bien... il faut pas toucher à ça. »

Mais un étrange phénomène se produisit, le drôle de tuyau mou qu'il avait entre les jambes se mit à gonfler sous l'œil intéressé d'Olga et celui perplexe de Jacquot.

« Oh ! quelle drôle de chose, tu as un truc comme le chien de ma tante et le cheval du maire... Ça te fait pas mal ? » ajouta-t-elle, en prenant dans sa main le sexe dressé.

Il secoua négativement la tête, regardant la petite main de son amie qui allait et venait. Comme elle suspendait son geste, il retint sa main.

« Continue, j'aime ça, c'est bon... »

Troublée, sentant dans le bas de son ventre un poids bizarre, un peu douloureux, Olga pressa le sexe tendu.

« Je peux l'embrasser ? »

Elle joignit le geste à la parole et sentit sur sa joue une douceur inconnue. Quand elle se retira, elle essuya ses mains et son visage avec le bas de sa robe de coton rose, tandis que Jacquot regardait d'un air contrit son sexe reprendre sa taille initiale. Jusqu'à la fin des vacances, ils jouèrent souvent à ce nouveau jeu, et même en inventèrent un autre.

C'était à ce jeu-là qu'aujourd'hui Trémollet voulait jouer. Cela lui sembla normal. Quand ils eurent épuisé toutes les variantes connues d'Olga, la bougie était consumée.

Le milan noir

Le vice en tout cela n'est qu'une [illusion
Qui ne trompe jamais que les âmes [vulgaires.

GUILLAUME APOLLINAIRE,
Ombres de mon amour,
« Parce que tu m'as parlé de vice... ».

LE nuage s'éternisait sur le visage de Jenny, léger, déchiqueté, paria dans ce ciel bleu qui n'aurait été là que pour elle, émanation brumeuse de ses propres pensées mélancoliques. Jenny agita le bras pour le chasser, mais en vain. L'ombre continuait de peser sur elle avec une ténacité louche, limitée à son seul transat. L'idée qu'il s'agissait peut-être d'une fumée crachée par les cheminées du paquebot effleura l'esprit de la jeune femme avec le soulagement des solutions faciles, mais cela non plus ne tenait pas. Pas à la place où elle était, sur le deuxième pont avant, pas avec le vent qui coupait la route du *Paros* vers l'est, entraînant jusqu'aux murmures des autres passagers.

De guerre lasse, elle étreignit les accoudoirs du transat dans l'intention de se lever, mais elle aperçut Rowlands qui s'approchait, seul, avec deux grands verres remplis d'un liquide qui ressemblait à du jus de pamplemousse. L'Américain tira à lui un fauteuil libre et s'y laissa tomber en lui tendant un verre.

« Fameux soleil, dites donc... Pire qu'à Malaga, trouvez pas ? »

Jenny eut un petit rire qu'elle étouffa dans le jus de fruits. Evidemment, il ne pleuvait pas, mais cette ombre.

« Vous avez vu ?

– Quoi ?

– Un milan noir, je crois bien, juste au-dessus de votre tête. Ce n'est pas banal. »

Elle souleva ses lunettes de soleil et vit l'oiseau. Un drôle de monstre d'oiseau, trop parfait pour être vrai. La tête du rapace, elle l'imaginait maintenant, ses yeux volumineux, orangés ou brun clair, dont le regard semblait peser sur elle seule parmi tous les passagers vautrés dans les chaises longues. D'un geste absurde, elle se protégea les seins, puis le ventre, et ne se rendit compte qu'à l'expression bête mais franchement ravie de Rowlands de l'excès de sa réaction. Les doigts de l'Américain, faussement charitables, pianotaient déjà sur l'élastique de son bikini et mouillaient son ventre d'une sueur grasse, désagréable. Elle le méprisa soudain. Ce qui venait de se rompre au creux d'elle-même n'avait son reflet nulle part dans le regard bovin de l'homme. De cela elle n'avait que la trace, mais une trace incendiaire, tranchante. Le bec crochu de l'oiseau piquetant ses cuisses ouvertes entre le cuir molletonné du transat. Elle cria sans le savoir et l'ombre disparut.

Dans le soleil couchant, la ville de Thessalonique paraît aux voyageurs d'une banalité flagrante à peine rehaussée par les remparts antiques qui ceignent la haute cité. De même qu'à Nice, Naples ou Malaga, le front de mer est essentiellement réservé aux voitures, dont le vacarme et les odeurs d'essence découragent les visiteurs qui se font une autre idée de la Grèce.

Grand voyageur devant l'Eternel, Rowlands loucha sur sa femme, Madge, puis sur Jenny, et déclara devant leurs mines déconfites :

« A l'exception d'Istambul, New York et bien sûr Hong Kong, je crois bien qu'un port est toujours décevant, surtout lorsqu'on s'en fait une idée romantique qui n'a plus cours nulle part. Mais attendez que je vous fasse découvrir les tavernes de la vieille ville et les Kafénéions ! Vous avez faim, les femmes ? »

Les femmes ayant faim, ils s'embarquèrent place Aristotélous dans un taxi qui les conduisit vers un restaurant en plein air sous les remparts dominant la ville. La nourriture frugale mais saine, arrosée de restina glacée, fit fondre une première impression déjà corrigée par le charme du site. Hélas ! après le fromage de chèvre, Madge exigea un gâteau qu'elle n'obtint pas et l'humeur, brièvement, vira à l'encre. Heureusement, Rowlands n'était pas au bout de ses ressources grecques.

« Je propose un zakaroplastéon.

– Un zaka quoi ? »

Madge était un peu soûle quand elle expliqua :

« Une pâtisserie, ma chère. En Grèce, c'est comme ça, les plaisirs de la table sont compartimentés. »

Un taxi les ramena vers le front de mer par des rues de plus en plus larges. En bas, il faisait chaud et humide. Des tourbillons paresseux d'odeurs se mêlaient. Odeurs portuaires et urbaines, odeurs de quartiers peu soignés, relents de fauves. Rowlands les guida dans un café-jardin, sous les arbres bruissants d'un bouzouki criard, et choisit une table. Comme dans tous les pays méditerranéens, il y avait beaucoup de monde, en dépit de l'heure ou à cause d'elle peut-être, qui savourait une glace à l'eau et une pâtisserie. Ecœurée à l'avance, Jenny commanda une limonade. Elle se demanda si l'endroit était aussi quelconque qu'il le paraissait du prisme à travers lequel elle voyait tout depuis le début de cette croisière. Elle était partie seule se refaire un moral, et les Rowlands lui étaient tombés dessus comme des mouches sur la viande. Pas un dîner en solitaire. Pas un pont où elle avait pu marcher. Pas un silence dont elle avait pu profiter. Elle en haïssait les bateaux et leurs croisières, et tous ces emmerdeurs aux aguets que constituaient leurs passagers, à l'égal des Rowlands, dragueurs mous en perpétuelle activité.

Derrière elle, un grelot attira son attention. Elle recula sa chaise. Un homme s'approchait, précédé d'un ours brun enchaîné, pas très grand. L'homme avait un bâton à la main avec lequel il faisait faire des tours à l'animal.

« Pauvre bête... »

C'était Madge, comme à l'ordinaire dans sa sensibilité confite.

« Donne-lui dix drachmes... »

Jenny sentit qu'on lui glissait une pièce dans la main, mais elle n'eut pas un geste pour la lancer dans le tambourin qui crépitait. L'ours virevoltait avec une grâce puante, adroit comme un singe et aussi cabot derrière son rictus jaune. Le bâton mimait tantôt une danseuse tantôt un adversaire que l'ours étreignait de ses pattes griffues avec un enthousiasme usé.

« Sikô », répétait l'homme entre ses dents d'une voix sifflante, étrangement obscène.

Jenny décréta que c'était là le sommet de la laideur et en fut confusément satisfaite. Elle n'aurait pas fait le voyage pour rien. Tombée au fond du trou, elle allait forcément remonter vers une lueur, vers la lumière.

Le montreur d'ours lui lança un regard vitreux, appuyé, puis s'en fut, ostensiblement mécontent. Et ce fut le tour d'une fillette, gitane macédonienne aux yeux noirs démesurés, qui leur proposa des cigarettes et du chewing-gum. Les cigarettes se vendaient à l'unité, de même que les barres de gomme, mais Jenny ne sut jamais le prix des marchandises ainsi proposées, car, dans son dos, Rowlands aboya :

« Des cigarettes au hach et du chewing-gum au LSD comme à Tanger, merci bien !... N'achetez jamais rien à cette vermine si vous voulez vous garder entier, c'est un conseil que je vous donne. »

Comme éblouie par tant de bruyante médiocrité, Jenny se tournait vers l'Américain pour le rabrouer, quand elle le vit. Le garçon hésitait à la croisée des allées. Avec son oiseau sur l'épaule, il paraissait attendre un signe. Alors, pour la seconde fois de la journée, Jenny sentit quelque chose se tendre en elle. Une ample chaleur l'envahit, très différente des sueurs alcooliques. Elle suivait un tracé que la jeune femme connaissait bien pour en user solitairement mieux que toute main étrangère, si personnel, de ce fait, que l'instant de stupeur passé, sa curiosité s'aiguisa.

Le garçon avait fini d'hésiter; il s'avançait vers elle d'un pas à la fois raide et dansant. Le regard embué par tant de résolution, Jenny voyait un gamin de quinze ans, peut-être seize, prince dans ses hardes, avec des yeux profonds, très écartés. Un bracelet d'acier menottait le poignet droit de l'adolescent, d'où partait une fine chaîne qui baguait le rapace figé sur son épaule, et il y avait entre le cou du jeune homme et le corps de l'oiseau une troublante similitude de nature. Mon Dieu, pensa Jenny, voilà que je deviens pédophile! Elle avait voulu se moquer d'elle-même, mais la plaisanterie l'écorcha. Pédophile était un mot pour les Rowlands et leurs semblables, un label psychanalytique et salonnard pour une évidence qui l'étouffait.

Le rapace sur l'épaule de l'adolescent abandonna brusquement son hiératisme pour faire entendre un glatissement soutenu, suivi d'une longue initiale tremblée : Hièh-Hièh... Hièh...

Jenny regarda la bouche de l'adolescent. Le jardin grec était l'écrin muet d'une tension qui les étreignait. Je vais me lever, pensa Jenny, je vais me lever... Le rapace inclina la tête et le garçon partit.

« La petite conne... regarde moi la petite conne! »

La grossièreté de l'Américain effleura à peine Jenny, qui ne pensa même pas qu'il jetait le masque; cela pouvait venir d'ailleurs, d'elle-même aussi. Elle continua à marcher, bousculant un serveur, son plateau au creux du bras. Pour la première fois de sa vie – mais elle ne pensait pas à cela non plus – elle était celle qui suivait; c'était son regard qui tenait le dos mince, cambré de l'adolescent, son regard jaugeant, supputant, rêvant... Quelle rupture de règle! Le petit fauconnier en avait-il conscience?

Elle se dépêcha de traverser la rue, car le gosse marchait vite, son oiseau sur l'épaule. La ville était devenue moins banale soudain, moins claire, moins rassurante. Les commerces se raréfiaient. Quelquefois, il n'y avait même plus de rue à proprement parler, mais une fondrière pâle, source de lumière entre les murs aveugles.

Au pied d'un escalier, brusquement, le garçon s'arrêta et se retourna. Voilà! pensa Jenny, pressentant quelque chose, enfin sensible à sa vulnérabilité dans ce dédale moite. En effet, une silhouette venait d'apparaître au haut des marches et s'y tenait, jambes écartées, mains aux hanches, dans une pose familière aux effrois féminins. Etaient-ils de mèche? Elle trouva la force de se retourner et contempla la volée de marches qui la séparait de tout terrain ferme. Elle ne s'était pas rendu compte qu'elle était montée si haut. Elle se croyait toujours à Thessalonique, sixième escale dans le programme de la croisière. Comment ce leurre terrifiant avait-il pu s'immiscer dans un rouage si douillet? Elle souleva le bas de sa robe noire et descendit une marche, la gorge serrée, avec l'impression d'entrer dans l'eau, dans un sous-sol grouillant.

Soudain, une deuxième silhouette jaillit sur sa gauche, de derrière un muret, et lui barra l'escalier. Elle vit le blanc de son sourire dans la pénombre, ses bras ouverts, nus et musculeux. Quant au troisième homme, elle le sentit plus qu'elle ne le vit. Mais peu importait désormais d'où le diable jaillissait; la peur n'avait pas besoin de ce détail-là.

Un frisson acide la galvanisa quand le premier inconnu la toucha. La main était puissante et résolue, elle lui fit tourner la tête. Elle entendit craquer le jersey de sa robe et vit son sein nu, lourd, trop blanc. Une bouche plongeait dessus, tandis qu'un bâton vertical se pressait contre ses reins. Elle songea au viol avec un sang-froid imprévu. Comme toute femme, elle avait rêvé cette scène barbare dans ses plus noirs aspects et ses plus troublants détails. Mais, curieusement, maintenant qu'elle y était, le fantasme lui filait entre les doigts. Bien sûr, l'essaim mâle était sur elle, bien sûr, tout son corps regimbait devant cette attaque brutale. Mais regimbait-il vraiment? Eprouvait-elle autre chose qu'un banal désordre? Elle aspira pour crier et fléchit les genoux. Par une étroite lucarne entre les crânes hirsutes de ses assaillants, elle vit le nuage sur la lune qui lui rappelait l'oiseau de l'après-midi, le milan noir comme avait dit Rowlands. Etait-il possible que ce fût si simple?

Elle ne s'interrogea pas plus longtemps car, brisée par le poids de l'homme qui venait de la pénétrer, elle eut un soubresaut et sa nuque heurta l'arête d'une marche, noyant son souvenir dans une anarchie d'ondes sonores. Elle perçut encore un froissement tout au bord du néant, mais ce fut tout. Le cri, s'il y eut un cri, ne transperça pas les brumes rougeoyantes de son cerveau.

C'est quelque chose de frais, courant entre ses seins, qui la réveilla. Elle était allongée sur un lit, nue. Son premier réflexe fut d'agiter ses poignets, qui n'étaient pas entravés – le fantasme avait la peau dure. Puis elle ouvrit grand les yeux. Elle était dans une mansarde au plafond lépreux, entre quatre murs sales, chichement éclairés par une fenêtre étroite et grillagée. Sur une table, apparemment l'unique meuble du grenier, une lampe à pétrole inclinait vers elle son anse métallique. Elle se raidit pour trouver la force de l'attraper et le friselis entre ses seins cessa. Elle l'avait presque oublié. Puis elle redressa le buste, inclina sa nuque douloureuse et attrapa une boîte d'allumettes qui traînait sur le lit, entre les plis de la couverture grossière.

Elle perçut un mouvement derrière elle, et une voix jeune suspendit son geste :

« Stop ! No light for bird... »

Plus que tout, plus que l'apparition tranquille du jeune fauconnier, nu entre les pans de sa chemise, d'une nudité, pensa Jenny, qui trahissait plus la satiété que le désir, plus que tout ce qu'on pouvait déduire d'une promiscuité sur laquelle elle n'avait aucune donnée de temps, c'est cette référence à l'oiseau qui lui fouetta le cerveau, une réminiscence confuse de sensations enregistrées par son corps évanoui. Alors, elle s'écria à son tour :

« Où? Où est-il? » Le gosse indiqua une direction au-dessus de sa tête. « Là? Là, tu veux dire? »

Le cœur battant, Jenny se retourna et fouilla l'obscurité derrière le lit. S'il y avait quelque chose là, c'était près, tout près, car, entre le bois du bat-flanc et le mur, il n'y avait rien, rien qu'un espace noir transpercé de deux feux fixes, jaunes. Soudain, l'odeur aigre de l'animal s'engouffra dans ses narines et la fit pleurer. Elle avait trouvé. Certes, le brouillard de ses larmes l'empêchait de voir clairement la bête, mais à ce niveau la vision n'était plus essentielle. L'image imprimait son regard intérieur, coiffant sa réclusion, l'image figée du gardien cramponné à l'étroite barre du lit, les serres comme des ressorts bloqués, le bec crochu, la mandibule acérée.

La tête de Jenny dodelina – ou était-ce le lit qui tanguait, elle ne savait pas très bien – et elle eut un geste de retenue machinal. Le diamant invisible d'un bec estafila son bras jusqu'à l'aisselle.

« Aaah! »

Elle cria de surprise plus que de douleur. Le gamin s'était glissé dans son dos et lui caressait brutalement les seins, sans se soucier du feu qui se répandait dans son bras. Elle sentait la verge dure entre ses cuisses serrées et le désir soûlant qui la bouleversait. De son bras replié, le garçon la cambrait avec une aisance évocatrice de pénétrations réussies et répétées. Elle pensa : si c'était comme ça... Elle n'eut pas le temps d'achever : un orgasme insensé la disloquait.

« Royal, murmurait Jenny, royal... royal. » Silencieux, le mot roulait entre ses dents, nettement dissocié en deux sons qui s'efforçaient vainement de se rejoindre. La plainte était un souvenir, une respiration, le rythme d'un battement, régulier coup de rame à l'intérieur d'elle-même. C'était vrai que ça tenait à peu de chose. Mais elle était justement éblouie par ce peu de chose, à la fois aérien et acéré. Ça lui était venu d'un coup, dans l'ombre de ce présage élégant sur le pont du bateau : un besoin pressant, nouveau, comme un acte de foi érotique dans une nature fière et rigoureuse.

Elle céda sur ses cuisses quand l'adolescent se retira et le chercha d'une main tâtonnante. Ses cuisses étaient trempées et sa toison rase, gorgée. Pourtant, elle voulait le toucher encore, assouvir tous ses sens, cette fringale de saillant, d'aspérité. Entre ses jambes, ses doigts effleurèrent le bec du rapace et se figèrent, glacés. Elle n'osa plus bouger. Offerte comme elle était, les possibilités étaient effarantes. Peu à peu, l'attente devint lancinante au creux de ses reins; une envie et une peur innommables verrouillaient et déverrouillaient son corps. Elle eut un goût de fer dans la bouche, l'imagination infirme. Lorsque l'éperon pénétra plus haut, entamant l'étoile nouée, ce fut comme une flambée, ses dents s'entrechoquèrent, mâchant une litanie ignoble aux confins d'un désir bouleversé.

Très longtemps après, elle tomba.

Par terre, une lumière grise comme s'il allait pleuvoir, débitée par les barreaux de la fenêtre sur son corps sourd, recru. Elle avait une soif intolérable qui lui racornissait les muqueuses – et pas la moindre idée de ce qu'elle faisait là. Elle roula sur elle-même jusqu'au mur, dont le crépi poudreux ne fit que renforcer son impression d'un désert clos, sordide. Sordides, ce réveil fripé, ce souvenir couvert par des besoins pressants, physiologiques. Pourtant, il devait y avoir de l'eau, des toilettes, un pot.

Fugitivement, elle se revit gamine, dans la même posture. Ça la fit rire, la détendit un peu. Le pot était frais, à la taille de ses fesses, et lui collait si bien au derrière que c'était un plaisir de crapahuter avec dans le jardin du pavillon – tant que la bonne ne la voyait pas de la fenêtre de sa cuisine. Le plus drôle, c'était de se montrer entre les troènes aux rares passants décontenancés. Alors, mais alors seulement, si le public manifestait suffisamment sa surprise, elle pouvait s'abandonner au crépitement révélateur d'une miction longtemps retenue.

Elle avait longtemps joué à ce jeu, jusqu'au moment où elle s'aperçut que c'était toujours le même bonhomme qui attendait de l'autre côté de la grille – un bonhomme dont les appréciations lui semblaient de plus en plus étrangères à l'esprit du divertissement. Elle avait alors conçu quelque chose de beaucoup trop compliqué pour que ça vaille le coup de continuer à pisser pour lui et elle avait cessé le jeu, car elle était infiniment paresseuse.

Ténus, brumeux, des visages défilèrent devant les yeux de Jenny, certains capables de se fixer, tel celui de Rowlands, l'œil bleu exorbité dans le soleil. Du coup, elle respira profondément et dit non à l'image, ainsi qu'elle avait dit souvent. Pourtant, avec Rowlands, c'était un début. Elle retrouva le goût anisé de l'ouzo perçant sous le relent galeux de l'ours savant. Elle entendit le crépitement du tambourin et l'offrande pulpeuse de Madge avec ses dix drachmes. Le crissement tranquille d'une sandale sur la marche de l'escalier vrombit dans le tunnel de sa mémoire; trois visages crispés par l'excitation convergèrent vers elle. Mais d'où venait cette vibration, ce déchirement de l'air, ce signal dans le ciel éclairci ? La vérité submergea brusquement sa conscience, lui tirant un gémissement de bête. Du *Paros,* bien entendu, du *Paros* qui appareillait, ses ancres encore mouillées reprenant lentement place dans leurs nids. Sa plainte se mua en accès de colère.

« AT - TEN - DEZ ! »

L'urgence et l'horreur luttant à qui l'éperonnait le plus, elle oublia sa soif, son envie de se soulager. Les murs du cagibi s'écrouleraient sur sa tête si elle n'arrivait pas à temps pour...

Elle se mit debout et tomba. Ses jambes ne la portaient plus. Elle avait aux reins une sensation physique d'usure. La conscience globale de son corps lui venait puis la quittait au gré des douleurs qui la traversaient. Elle n'arrivait pas à s'organiser en mécanique efficace, capable de la traîner jusqu'à la fenêtre. Elle entendit un cri, puis une cavalcade, puis plus rien. Un rayon de soleil venait de se faufiler entre les barreaux de la fenêtre et lui chatouillait les lèvres. Elle souffla comme pour le chasser et souleva une plume.

Blanche, soyeuse, flottant dans la poussière en suspension. Le souvenir de l'oiseau la rejoignit avec la violence d'une tempête sur laquelle on referme sa porte. Mais, étrangement, derrière, il n'y avait pas la révolte attendue. Elle se démanchait le cou pour voir qui avait traversé la tourmente avec elle. Elle ne vit rien, écrasée de solitude. Sa prison était un univers vide que le soleil s'apprêtait à tourner en fournaise. Elle capitula.

Le temps n'avançait pas dans le grenier chauffé à blanc. Les barreaux découpaient quatre bandes d'ombre, la table et le lit des parallélépipèdes étroits aux frontières fluctuantes. La prisonnière dormait la bouche ouverte, et elle léchait de temps à autre d'une langue mécanique ses lèvres craquelées par la soif. Au début, elle avait fait l'effort de suivre l'ombre, mais le dérisoire de cette course lui était vite apparu – le mouvement s'effectuait en-deçà de la perception humaine – et elle s'était rendue au hasard.

A présent, c'était une portion de sa hanche qui était touchée, bientôt l'aine et, dans sa léthargie, elle se grattait d'une main inconsciente. Elle se retourna carrément, écartant les jambes, et la chance voulut qu'elle trouve un peu de confort dans cette position. C'est ce qui la réveilla – à moins que ce ne fût un bruit derrière la porte. Elle avait oublié qu'il y avait une porte. L'espace de sa prison lui paraissait clos depuis toujours, hormis cette fenêtre dentée qui dominait la ville – une ville irrattrapable, presque une chimère d'enfant. C'était un bruit de pas inhabituel, un flottement indécis. Le bruit d'un bâton contre le mur creux, un grelot étouffé, puis le choc métallique d'une clef dans la serrure.

Sollicité par l'événement, son cerveau engourdi relâcha quelques éléments de souvenir. Le montreur d'ours ! Il n'y avait personne d'autre. Ce personnage hideux qui lui avait jeté, elle s'en souvenait, un regard d'une obscénité appuyée, teinté de connivence.

L'effraction échoua en rupture et elle entendit clairement le grognement de l'homme dépité. Il n'avait pas de visage pour elle, mais elle pouvait le reproduire fidèlement. Un tel homme n'avait pas besoin de visage. Il était l'horreur incarnée, une masse de cellules perverses, obsédées. Elle l'imagina à genoux, curetant le trou de la serrure des fragments du crochet qui y étaient restés coincés. Elle l'imagina, s'il y parvenait, l'œil vissé à l'oculaire pour se payer de sa peine, lapant derrière son trou le spectacle qu'elle lui offrait, nue, paralysée de chaleur, ses fesses très blanches perlées de sueur, son ventre offert.

Convulsivement, elle resserra ses cuisses et ramena ses genoux sous ses seins en se retournant. C'était presque pire. Elle perçut un râle derrière la porte et le son d'une voix vaguement familière. Le gosse. Elle soupira si vivement qu'elle se cogna la tête contre le pied du lit. L'adolescent chassait le vieux bouc. Elle regarda le plancher. Le taudis était tout à fait sombre à présent. Dehors, le ciel virait à l'encre. Elle, qui n'y croyait plus, applaudit cette pénombre. Elle s'accrocha à la nuit.

Très vite, elle cessa de compter ce qui était les nuits, ce qui était les jours. Les nuits étaient une lourde fraîcheur battue de moustiques. C'étaient l'obscurité et le ballet autour d'elle, le jeu animalier dont elle confondait les protagonistes. Les nuits, c'était, à genoux sur la paillasse, son corps amaigri dans le regard fixe de l'oiseau perché sur la barre. L'adolescent s'était découvert un goût pour la sodomie et le satisfaisait abondamment. Mais cela ne lui déplaisait pas, au contraire, ça lui paraissait aller de pair avec le décharnement, l'allégement, aller à l'essentiel. D'ailleurs, c'était peut-être l'oiseau qui avait donné le la.

Présentement, on la grimpait de nouveau et elle battait des ailes mollement dans la nuit agissante – le mot « grimper » avait brisé sa cosse obscène et prenait un sens purement dynamique. Elle était une cible, un ravin, une montagne. Elle était élargie et en manque, tout affamée de sensations qu'elle eût trouvées grotesques, pour ne pas dire inconcevables, quelque temps auparavant. Elle sentait entre ses cuisses la caresse dure du plumage de l'oiseau et sa raison commençait à chavirer, car cet instant, c'était l'instant charnière, le membre raide du fauconnier devant ses yeux, le complément du pal. Le transpercement, comme toujours, irriguerait son corps d'une jouissance fulgurante.

Et puis, il y avait les jours, des aubes sales presque glacées où elle se retrouvait seule, assoiffée, affamée. Le bac en verroterie était regarni régulièrement, mais l'eau sentait l'oiseau et la faisait vomir. Le pain sentait la plume et la fiente, l'air, l'odeur aigre de la sueur et du sperme. Avant qu'il ne fasse chaud, elle s'efforçait de se lever du lit et de marcher. Etre debout tenait du prodige à présent comme si on lui avait rogné quelque chose, sa mobilité, son autonomie. Aux genoux et entre les cuisses, les lésions avaient durci en cals qu'elle pelait tout en se traînant jusqu'à la fenêtre.

Parfois, elle épuisait ses forces dans ces quelques pas et demeurait accrochée aux barreaux tout le jour durant. Sa peau cuisait sous le soleil implacable et son regard, errant dans la marge de la réalité, happait çà et là des scènes de passage, de rencontre. Ce qu'elle voyait du monde n'éveillait plus en elle de sentiments; les enfants bagarreurs, les ménagères chargées, les touristes égarés cherchant à se repérer sur l'angle des remparts, elle les voyait comme des mouches, une rupture dans la pérennité de sa solitude.

Le seul à raviver ses sens encore était le montreur d'ours. Il ne devait pas habiter loin ou, pour une raison qu'elle devinait trop bien, il avait pris ses quartiers autour de la placette, dissimulé dans l'ombre. Elle le voyait à plusieurs reprises traverser le soleil, tapant avec son bâton, la tête penchée pour abriter le regard qu'il coulait vers elle derrière la lucarne barrée. Son tambourin accroché dans son dos battait une mesure hasardeuse, la mesure d'une danse qu'il lui ferait danser s'il le pouvait. Puis la nuit revenait, la boucle était bouclée.

Le garçon et sa bête la surprenaient toujours par leur silence. Elle les reconnaissait trop tard aux froissements mêlés des ailes de l'oiseau et des nippes qui volaient. Alors, elle s'agenouillait sur le méchant matelas, maniable comme ils aimaient, très cambrée, sur une musique plaintive de bergerie thrace qui s'élevait par miracle d'une maison voisine.

Cette fois, ils firent du bruit, ivres peut-être. La serrure jeta un craquement voilé. Pétrifiée, elle perçut l'anormal. La porte se referma trop lentement : quelqu'un que la nouveauté du lieu ralentissait. Ensuite, elle perçut un souffle, deux souffles. Cela aussi n'allait pas; ses gardiens étaient silencieux comme des pierres. Elle se tassa contre le montant du lit et ramena la couverture sur son corps. Derrière la porte, mais à l'intérieur de sa cage, elle entendit un grelot léger. C'était l'ours qui commençait à marcher sur elle. La tranche du bois de lit lui scia le dos, un cri gonfla sa gorge.

« Elâ... Elâ... »

Sous la fenêtre, la place venait de retentir d'un pas rapide. L'homme dans le coin du grenier rappelait sa bête :

« Elâ... »

L'ours s'arrêta à un mètre du lit et tourna sa tête massive vers la porte. Il ne faisait plus de doute qu'il allait se passer quelque chose, quelque chose dont l'issue pouvait changer les données de sa captivité.

La porte s'ouvrit brusquement et l'air vibra d'une envolée surprise. Hélas! le rapace était infirme dans le noir et s'assomma contre un mur. Avec une agilité surprenante, l'ours fut sur lui. L'odeur forte de la haine et du sang envahit la mansarde. Bouleversée, Jenny se dressa et cria :

« Non ! Pas lui ! Pas lui... »

Quelque chose soudain l'éblouissait. Il n'y avait plus de barreaux à la fenêtre, il n'y avait plus de nuit : un ciel bleu intense que traversait vainement l'assiette d'argile. Il y avait ce soleil sauvage et l'ombre infime de l'oiseau qui tombait, touché bien sûr, en une terrible arabesque mortelle loin du *Paros* vers les côtes déchiquetées de l'Egée qu'il n'aurait jamais dû quitter. La jeune femme se rua sur le gros Américain et lui arracha la carabine encore fumante.

« Je vous déteste ! Oh ! je vous déteste ! »

Les tireurs groupés autour de l'aire dessinée à la craie la regardèrent avec réprobation. Quelle histoire pour de la poulaille, est-ce qu'elle n'en mangeait pas à tous les repas ? L'oiseau était englouti depuis longtemps lorsque l'officiant du ball-trap beugla dans un porte-voix :

« Pull. »

Tous les fusils se pointèrent vers le disque noir volant au-dessus des vagues et le pulvérisèrent.

Ce n'était qu'une assiette, mais chaque coup tiré leur procurait un petit frisson agréable.

Le passage du cyclone

Ecoute : au bruit noir des chan-
[sons
Satan flagelle tes sœurs nues;
Viens, et dansons.

P.-J. Toulet, *Les Contrerimes,*
« Les Trois Dames d'Albi ».

UNE atmosphère de fin du monde régnait dans la petite île des Antilles. Un ciel traversé de nuages pesants, couleur de cendre, rejoignait une mer en furie aux reflets d'argent mat sur fond de plomb. Un vent fou soulevait, tordait et arrachait les branches des arbres, qu'il projetait en tourbillons furieux sur les voitures, sur le toit des maisons. Un tout jeune homme à bicyclette perdit l'équilibre, passa par-dessus le guidon de son vélo et se retrouva à plat ventre dans une grande flaque d'eau sale. Une pluie lourde et chaude se mit à tomber, ajoutant son crépitement aux rugissements de la mer et aux mugissements du vent. Dans les petites rues de l'unique ville de l'île, des attardés rentraient chez eux, pliés en deux, sous les rafales. Tout annonçait un cyclone imminent.

Deux hommes vêtus et coiffés de blanc sortirent de la petite banque et coururent vers une voiture garée de l'autre côté de la grand-rue. Quand ils montèrent dans le véhicule, leurs légers vêtements leur collaient à la peau, complètement trempés.

« Le cyclone se dirige droit sur nous... à moins qu'il ne dévie sur Sainte-Lucie.

– Je crains que non, hélas !... Ce temps ne va pas arranger l'état de ma pauvre Anne.

– Comment va-t-elle ? Pas d'amélioration ! Que disent les médecins ? As-tu vu le professeur Walter de Californie ?

– Mon pauvre Saint-Martin, j'ai fait venir le professeur Walter, le professeur Lemoine, le professeur Muller. Ils se contredisent tous sur l'origine du mal. En revanche, tous sont unanimes sur un point : elle doit être internée dans un hôpital psychiatrique où ils pourront lui faire subir toutes sortes d'examens. Mais moi, je sais que si on l'enferme elle deviendra réellement folle. Je suis sûr d'une chose maintenant : elle a été envoûtée, elle est devenue zombi. Quand je leur en ai parlé, ils ont cru que j'étais devenu fou moi aussi.

– Je pense comme eux, tu es devenu fou ! Comment peux-tu encore croire à ces bêtises ? Il y a longtemps qu'on ne joue plus avec ces choses dans l'île.

– Qu'en sais-tu ? Tu es parti si longtemps. Souviens-toi de notre enfance.

– Tout ça, c'est de l'histoire ancienne. »

Jacques de La Gilerie ne répondit pas tout de suite. La pluie qui tombait en trombes et le mauvais état de la route exigeaient toute son attention. Malgré les phares, on ne voyait qu'à quelques mètres.

« Tu as tort de railler, Gérard. Tu me connais depuis longtemps et tu sais que je n'ai pas l'habitude de parler en l'air. Depuis quelques années, je me suis penché sur ces rites qui nous viennent d'Afrique et par lesquels les esclaves maintenaient le contact avec leurs dieux et les âmes de leurs ancêtres restés sur le continent. J'ai assisté dans différentes îles des Antilles à des cérémonies vaudou qui m'ont beaucoup impressionné. J'ai vu des hommes et des femmes, en apparence quelconques, se transformer en des êtres magiques doués de pouvoirs étranges comme la transmission de pensée et l'insensibilité à la douleur, et capables d'hypnotiser ou d'envoûter à distance. L'un d'eux a envoûté ma fille.

– Comment se manifeste cet envoûtement ?

– Elle entre brusquement dans un état second et va rejoindre un individu répugnant, une espèce de tonton-macoute métissé de Noir, de Chinois et d'Indien, à qui elle obéit comme un chien. Malgré une surveillance sévère, elle réussit à s'échapper et à le retrouver. Quand elle rentre, au bout de un jour ou deux, c'est comme si elle s'était vidée de son sang : elle a le regard éteint, elle est sans forces, elle murmure des mots incohérents...

– Et cela a commencé quand ?

– Pendant mon séjour en France. Je suis resté absent plus longtemps que prévu. A mon retour, j'ai retrouvé une loque à la place de la jeune fille fière et saine que j'avais quittée quelques mois plus tôt.

– Pourquoi ne l'emmènes-tu pas loin d'ici ?

– C'est la première chose à laquelle j'ai pensé, lorsque j'ai acquis la certitude qu'il s'agissait d'un cas d'envoûtement, mais Joséphine, qui a élevé Anne, m'a dit qu'elle ne devait pas quitter l'île sans avoir été désenvoûtée.

– Tu as parlé à cet homme ?

– Bien sûr. Sans résultats. Il m'a dit d'un air fat que ma fille était amoureuse de lui, mais qu'il n'y pouvait rien, car il ne l'aimait pas. Il prétend qu'elle s'est offerte à lui un jour, qu'il a voulu la renvoyer, craignant des représailles des Blancs, mais qu'elle est revenue et qu'après tout « un homme est un homme »... L'ignoble individu! J'avais envie d'écraser sa sale tête, d'effacer son sourire servile et triomphant. A une autre époque, je l'aurais fait jeter dans la mer du haut de la falaise!... Dans l'île on ne parle que de cela. On nous plaint beaucoup, car on sait bien que cela peut arriver à n'importe lequel d'entre nous. C'est affreux, je ne reconnais plus mon enfant... »

Gérard de Saint-Martin ne savait que dire. Il comprenait l'émotion de son ami, mais il ne voyait pas ce qu'il pouvait faire. Jacques reprit :

« Il y a deux jours, j'ai voulu montrer à des amis anglais et français de passage les coins pittoresques de l'île. Je les ai emmenés dans un bambouche où jouait le meilleur orchestre de steelband des Antilles. Nous avions bu une telle quantité de ti'punch que nous ne marchions plus très droit. Nous sommes arrivés pendant le limbo. Nous étions les seuls Blancs. Après le limbo, l'orchestre a entamé un reggae. Des filles superbes accompagnées de beaux garçons noirs se sont mises à danser. Tout à coup, une magnifique rousse à la peau très blanche est entrée dans la danse, et bientôt tous les hommes l'ont entourée. Les femmes, dépitées, ont quitté la piste. La danse de la fille était une des plus lascives et des plus obscènes que j'aie jamais vues... Son ventre cherchait celui des danseurs, ses seins se frottaient à leur poitrine. Le rythme s'est encore accéléré. Elle semblait prisonnière d'une cage ondulante faite de corps d'hommes en rut. Quand la musique s'est tue, ils l'ont enlevée à bout de bras et ont disparu avec elle derrière le rideau de bambou. Eh bien... cette danseuse lubrique échappée d'un manger-lao diabolique, c'était Anne, ma fille ! Pendant toute la danse, j'ai été comme assommé. Après, je suis resté plusieurs minutes sans pouvoir faire un geste. Quand je suis sorti de ma torpeur, je me suis précipité derrière un rideau de bambou, et là, j'ai vu ma fille, nue, allongée sur une table, faire allé vini avec un grand Noir pendant que les autres attendaient leur tour... J'ai pu l'arracher de là grâce à mes amis, qui, me voyant bouleversé, m'avaient suivi. J'ai appris d'une fille de l'endroit qu'elle y allait souvent, seule ou avec son mulâtre... »

Jacques de La Gilerie lâcha le volant et s'essuya les yeux. Saint-Martin ne savait que dire.

Ils s'arrêtèrent bientôt devant une superbe demeure coloniale. Un vieux Noir vint les accueillir avec un immense parapluie. Ses vêtements blancs collés au corps, une jeune mulâtresse s'arrêta sous la pluie pour faire une révérence aux deux hommes, qui passèrent devant elle sans la regarder. Ils montèrent les marches de la véranda et s'arrêtèrent pour secouer leurs chapeaux. Dans l'obscurité, ils aperçurent deux silhouettes. Une jeune fille aux longs cheveux roux emmêlés, collés sur son visage par la sueur ou par la pluie, dévêtue plutôt que vêtue d'un cache-corset et d'un jupon de linon blanc comme en avait sans doute portée son aïeule, se balançait dans un hamac en fredonnant. Assis sur un tabouret, à ses pieds, un négrillon également vêtu de blanc ne la quittait pas des yeux.

« Anne, ma chérie... »

Son père se pencha pour l'embrasser. Elle ne fit pas un mouvement vers lui et continua à se balancer et à fredonner, le regard absent. La Gilerie haussa les épaules avec lassitude et tapota la tête crépue du gamin.

« Surveille bien ta maîtresse, petit... »

Ils entrèrent dans la vieille demeure, propriété des La Gilerie depuis 1763. Dehors, la tempête continuait à faire rage.

Le grand salon, où le Louis XV d'époque faisait bon ménage avec le Louis-Philippe, n'était éclairé, malgré la nuit tombée et la chaleur humide de l'île, que par un grand feu. Sur la cheminée, des photos jaunissaient dans leurs cadres désuets.

Les deux hommes étaient assis dans de confortables fauteuils, un verre de ti'punch à la main. Ils avaient changé leurs vêtements mouillés contre d'élégants costumes blancs. Une très grosse négresse posa un plateau devant eux.

« Merci, Joséphine. Notre invitée est-elle arrivée ? »

Joséphine, répondit avec cet accent chantant propre aux îles des Antilles :

« Oui, Monsieur, elle se change dans sa chambre pour le dîner. C'est une très belle femme, Monsieur, je pense qu'elle fera l'affaire.

– C'est bien, laisse-nous. Dis-lui que nous l'attendons. »

Les deux amis restèrent un instant silencieux, buvant en contemplant les flammes.

« Tu ne m'avais pas dit que tu avais une invitée ? »

La Gilerie ne répondit pas à la question de son ami.

« Es-tu convaincu maintenant qu'Anne a bien été envoûtée ?

– Après la conversation que nous avons eue tout à l'heure avec Joséphine, oui.

– Et tu veux bien m'aider ?

– Jacques, ne suis-je pas venu immédiatement, quand tu m'as dit que tu avais besoin d'aide ?

– Excuse-moi... je suis si troublé. Je te remercie. Ce que je vais faire n'est pas très... »

Jacques de La Gilerie se leva, pâle et tendu, tisonna le feu, alluma un cigare et se servit un autre verre avant de continuer.

« Tu sais maintenant ce qui arrivera si nous n'arrivons pas à la délivrer de cet envoûtement : Anne va progressivement cesser de s'alimenter. Elle sera de plus en plus fréquemment en proie à des crises de démence, qui pourront même la pousser à tuer. La semaine dernière, c'est par miracle que nous avons pu sauver p'tit Jacot. Elle l'avait pendu à une corde, sur laquelle elle tirait en riant. Le gamin en gardera les marques toute sa vie. Hier, nous l'avons trouvée à côté du cadavre de son chien : elle lui avait ouvert le ventre et s'amusait avec ses intestins.

– C'est horrible !

– Oui, c'est horrible, et tous les psychanalystes du monde n'y pourront rien. Nous sommes en présence de forces que nous connaissons mal et qui viennent de la nuit des temps. Nous ne pouvons tenter de les combattre qu'en utilisant ces mêmes forces à notre profit. C'est très dangereux. Ce que je vais faire est épouvantable, mais je n'ai pas le choix.

– Que veux-tu dire ?

– Sur les conseils de Joséphine, qui est, comme tu le sais maintenant, zobop, j'ai fait venir de Paris une fille qui a les mêmes caractéristiques physiques qu'Anne afin que le loa qui l'habite change de corps.

– C'est terriblement dangereux pour la fille. Où l'as-tu trouvée ?

– J'ai demandé à une célèbre maquerelle parisienne de m'envoyer une très belle femme pour en faire cadeau au chef de la police. Cela m'a coûté une petite fortune, mais pour qu'Anne redevienne elle-même, je suis prêt à tout... A tuer, s'il le faut.

– Cette jeune femme n'est évidemment pas au courant de ce que tu attends d'elle ?

– Non, bien sûr, sinon, la divinité devinerait le piège.

– Et quand la cérémonie doit-elle avoir lieu ?

– Cette nuit, au temple, après le boulézin. Attention, voici notre invitée ! »

Une jeune femme rousse, très belle, très pâle, vêtue d'une longue robe noire qui laissait deviner la perfection de son corps, se dirigea vers les deux hommes. Jacques de La Gilerie alla à sa rencontre.

« Je suis heureux de vous accueillir sous mon toit. Permettez-moi de vous présenter mon meilleur ami et plus proche voisin, descendant d'une des plus vieilles familles de l'île, Gérard de Saint-Martin. Gérard, je te présente Mme Eva Slansky, qui nous fait l'honneur de passer quelque temps avec nous. »

Eva salua, remercia Joséphine qui lui tendait un verre de ti'punch, s'assit et regarda autour d'elle.

« Merveilleuse maison. Je me suis promenée dans le parc juste avant cette horrible tempête. Quelle beauté ! Que de fleurs étranges, inquiétantes même ! Certaines ont un parfum qui vous paralyse, tant il est fort, suave et entêtant. J'ai dû m'éloigner de l'arbre, prise de faiblesse. En revenant vers la maison, j'ai croisé une toute jeune fille, rousse comme moi, qui portait pour tout vêtement un long jupon blanc aux dentelles déchirées et une couronne de ces fleurs si parfumées. Elle dansait en fredonnant. Elle était si belle, si gracieuse, si insolite, que je me suis arrêtée pour la regarder. Elle a continué à danser en tournant autour de moi. Je lui souriais... Brusquement, elle s'est arrêtée et m'a regardée fixement. J'allais lui dire quelque chose quand tout à coup elle s'est mise à me parler dans une langue que je ne comprenais pas, mais au ton de sa voix, à son visage défiguré par la colère, j'ai compris qu'elle m'injuriait. A ce moment-là, la pluie s'est mise à tomber avec une telle violence que j'ai couru vers la maison. Arrivée sous la véranda, je me suis retournée. La jeune fille dansait sous la pluie. Une domestique noire m'a ouvert la porte et m'a enveloppée dans un peignoir de bain. Je lui ai demandé qui était la jeune fille que je venais de rencontrer. « Anne », m'a-t-elle répondu. A chacune de mes questions, je n'obtenais que cette réponse : « Anne. » Qui est Anne ?

– Ma fille. »

Le regard d'Eva exprima une grande surprise en même temps qu'une grande curiosité. Elle n'eut pas le temps d'en savoir davantage. Joséphine entra en compagnie d'un vieux maître d'hôtel. Le dîner était servi.

Le repas fut très gai. Les deux amis racontèrent des histoires créoles qui firent rire la belle Eva aux éclats. Tout le monde but beaucoup.

« Nous avons une surprise pour vous ce soir.

– Une surprise ?

– Nous allons vous emmener à une cérémonie vaudou.

– Une cérémonie vaudou ? Mais je croyais que seuls les initiés avaient le droit d'y assister ?

– C'est vrai, mais nous sommes, en quelque sorte, des initiés... »

La grosse voiture roulait dans la bourrasque. Eva était assise à l'arrière, entre Joséphine et Anne. Personne ne parlait. La Gilerie appuya sur une cassette, un air de reggae envahit l'espace confiné. Saint-Martin cria pour se faire entendre.

« Vous aimez le reggae ?

– J'adore... » hurla Eva.

La voiture roulait toujours dans des gerbes d'eau. Anne se balançait d'avant en arrière, le regard absent. Un filet de salive coulait le long de son menton. Joséphine l'essuya. Eva regardait Anne avec inquiétude.

La voiture s'arrêta. Ils descendirent devant une sorte de hangar d'où sortaient de minces coulées de lumière. Malgré le bruit de la pluie et le hurlement du vent, ils entendirent le rythme obsédant des tams-tams. Joséphine poussa la porte et fit entrer ses compagnons. Des hommes, à l'entrée, arrêtèrent le petit groupe, mais en reconnaissant Joséphine ils s'écartèrent respectueusement. Son comportement avait changé, ce n'était plus la grosse servante, mais un zobop aux pouvoirs incontestés. Elle leur fit signe d'attendre, traversa la foule des danseurs et se dirigea vers une estrade sur laquelle étaient assis deux hommes et trois femmes aux visages luisants de sueur, qui se balançaient au rythme de la musique, les yeux fermés. Joséphine dit quelques mots à l'oreille de la femme qui semblait la plus âgée. Celle-ci ouvrit les yeux, regarda dans la direction des Blancs et secoua négativement la tête à plusieurs reprises. Les gestes de Joséphine se firent plus véhéments. De la poche de son ample jupe, elle tira quelque chose qu'elle présenta à la vieille femme. Celle-ci la regarda avec reproche, avec peur et finalement avec respect. Par trois fois, elle inclina la tête en signe d'acceptation.

Tout le temps que durèrent ces palabres, les quatre Blancs, seuls au milieu de cette foule noire, furent l'objet d'une curiosité hostile, qui cessa dès que Joséphine les eut rejoints.

« J'ai eu du mal à convaincre mà Héloïse : j'ai dû lui rappeler mon grade... Maintenant, tout est arrangé. La cérémonie va pouvoir commencer. »

Quatre jeunes filles la revêtirent d'une large cape bleue qu'elles lui nouèrent autour du cou. Elle fit sept fois le tour de la salle, suivie par les jeunes filles qui soutenaient la cape. Les tams-tams se firent plus forts. Certains danseurs entrèrent en transe, roulant sur eux-mêmes, leurs mains déchirant leurs vêtements, leur visage. Sur un geste de Joséphine, la musique s'arrêta. Il y eut un long silence, troublé seulement par les respirations haletantes des danseurs arrêtés dans leur élan. Le visage luisant de sueur, Joséphine leva les bras et dit :

« Ne restent que ceux qui savent. »

Il y eut un frémissement dans la foule et quelques personnes sortirent. Ceux qui étaient en transe au moment du geste de Joséphine étaient restés pétrifiés. Comme la musique, ils reprirent leur danse là où elle s'était arrêtée.

Eva réprima un frisson de dégoût. Accroupie par terre, Anne avait recommencé à se balancer. A genoux d'abord, puis debout, elle fut comme envahie par la musique, dont le rythme se précipita. Son visage exprimait une bestialité insoutenable. Une bave blanche cercla bientôt sa bouche tandis que ses hanches mimaient l'amour. Elle déchira son léger corsage, et ses seins tressautèrent sur son torse couvert de sueur. La jupe tomba à son tour, révélant la totale beauté d'un corps mince et nerveux. Jambes écartées, sans cesser de danser, les yeux clos, elle se caressa.

Bouleversée, Eva avala sa salive et se rapprocha de Saint-Martin qui, sans quitter Anne des yeux, la prit par les épaules. Inconsciemment leurs corps suivaient la musique. Avec de la farine de maïs, une très jeune fille traça sur le sol un vévé d'un dessin rigoureux.

La musique s'accéléra.

Joséphine, debout devant le vévé, scrutait le ciel comme si elle attendait un message. Soudain, elle fit un nouveau geste. Une jeune fille au regard anormalement fixe commença à tournoyer dans sa robe rouge. Une autre, puis une autre, puis une autre encore, toutes vêtues de rouge, se mirent à danser autour du poteau-mitan en tendant leurs mains vers lui en forme de prière. Anne, toujours nue, se joignit à elles. La musique s'accéléra, assourdissante. Joséphine fit un troisième geste. Deux jeunes Noirs, torse nu, en culotte blanche moulante, sortirent de la foule qui, toujours dansant, faisait cercle autour du vévé, des jeunes filles et de l'étrange prêtresse. Ils prirent Eva par la main et l'entraînèrent vers le poteau-mitan. Eva se débattit, essaya de se dégager, prise soudain d'une angoisse irrépressible. Mais le calme apparent de La Gilerie et de Saint-Martin la rassura un peu et c'est sans résistance qu'elle se laissa mettre à genoux, à peine gênée par l'étroitesse de sa robe noire. Elle porta ses mains à ses oreilles comme pour essayer d'arrêter l'invasion de la musique. Soudain, elle poussa un hurlement. Joséphine venait d'égorger un coq au-dessus de sa tête. Le sang coulait sur son visage, le long de son cou, entre ses seins. La musique s'accéléra, l'air ne fut plus que vibrations sonores. Les Noirs la maintenaient au sol, toujours hurlante. Une des épaulettes de sa robe se détacha, laissant apparaître un sein splendide, lourd et blanc. Joséphine fit ventailler la volaille, puis la jeta à la foule qui se précipita sur le cadavre et se mit à le déchiqueter. Joséphine sacrifia un autre animal au-dessus de la tête d'Anne, qui s'était accroupie devant Eva et la fixait sans la voir. Quand le sang chaud coula sur elle, elle s'en barbouilla le visage et le corps en poussant de petits cris, puis se lécha les doigts avec ravissement. Les joues inondées de larmes, Eva la regardait avec horreur, au bord de la nausée.

La musique s'accéléra encore. Toute l'assistance était couverte de sang.

Eva et Anne, pareilles à des écorchées, à genoux l'une en face de l'autre, se balançaient doucement. Les yeux d'Anne ne quittaient pas ceux d'Eva. Les yeux d'Eva ne parvenaient pas à se soustraire au regard d'Anne. Anne frotta ses seins contre ceux d'Eva. Puis, toujours en se balançant, elle se mit à déchirer la robe de la jeune femme et à la frapper avec des lambeaux d'étoffe. Peu à peu, le regard d'Eva devint fixe. Son corps suivit chacun des mouvements de celui d'Anne. Ce fut comme si les deux filles rousses, au corps blanc maculé de sang, avaient donné le signal de l'orgie sauvage. Une odeur de rut envahit la salle surchauffée. La musique n'était plus qu'un hurlement rythmé. A son tour, Eva lécha le sang qui poissait ses doigts. Le balancement de ses hanches s'amplifia, son regard devint de plus en plus absent : elle était maintenant chonal. Anne, tout à coup, retrouva sa lucidité. Mais la tension avait été si forte qu'elle s'écroula, les bras croisés sur la poitrine.

La Gilerie se précipita sur sa fille, la souleva et l'emporta vers la sortie, suivi de Saint-Martin et de Joséphine, qui, redevenue une respectable domestique, prit Anne des bras de son maître et l'emporta comme un enfant vers la voiture. Saint-Martin leur fit un signe d'adieu et rentra dans le hangar.

En proie à un délire érotique, Eva s'était agenouillée devant un des danseurs. Une masse noire encercla le couple et se referma sur lui. Saint-Martin aperçut encore un bras, un sein, une jambe blanche, des cheveux roux. Dominant la musique, il entendit un hurlement qui devenait rire, un rire qui devenait hurlement. Comme fou, il entra dans la foule.

Dehors, le cyclone s'abattit sur l'île.

Les fantaisies du cardinal

Et l'aube, qui devait me voir
[laborieux,
Me trouve sanglotant aux
[genoux d'une femme
Et vers le jour qui vient
[n'osant lever les yeux.

MICHEL-ANGE,
Sonnets,
« Captivité ».

DON ANTONIO MARQUEZ avait chevauché tout l'après-midi à travers son domaine, donnant ses instructions sur le transport des étalons, vérifiant l'état des toros, félicitant son personnel pour la bonne tenue des écuries. Sur le chemin du retour, il s'arrêta devant la petite arène où le jeune Juan faisait travailler une vachette. Le gamin était d'une agilité diabolique, d'une grande témérité tempérée par la justesse du regard. Le vieux Manuel, qui en avait vu d'autres et qui avait la responsabilité de l'arène, se tourna vers Antonio et dit :

« Il est bon le petit, il pourra combattre bientôt.

– Oui, c'est pas mal ce qu'il fait... Mais je trouve qu'il manque un peu de maturité.

– Don Antonio, c'est pas à vous de dire ça ! Vous savez qui il me rappelle, ce petit ? Vous, au même âge. »

Le visage d'Antonio se ferma.

« Raison de plus pour attendre », gronda-t-il en éperonnant son cheval.

Il partit au galop sous l'œil étonné de Manuel.

Antonio ressemblait à un toro enfermé dans un enclos trop petit pour lui. Il marchait de long en large dans son bureau, les poings serrés, le front coléreux. Il prit la carafe de vin qui se trouvait sur sa table de travail et se versa un grand verre qu'il but d'un coup. Il s'en versa un deuxième et alla s'asseoir dans un des fauteuils à haut dossier, face à un grand écran. Il appuya sur une touche du magnétoscope. Les images d'une corrida apparurent. Il s'agissait d'un combat magnifique où torero et toro combattaient avec le même courage. L'homme provoquait l'animal avec une audace qui laissait les spectateurs silencieux. Et puis, ce fut le drame. La bête chargea, un coup de corne atteignit le torero au ventre et le projeta dans l'air; il n'était pas encore retombé que le toro chargea à nouveau, poussant le malheureux, l'encornant, le piétinant tandis que la foule, debout, hurlait.

Un verre s'écrasa sur l'écran et le vin recouvrit l'image d'un voile rouge. Blême, Antonio éteignit brutalement l'appareil. Combien de fois depuis l'accident avait-il passé et repassé ce film, trouvant dans ces images dramatiques un plaisir morbide ? Plus jamais il ne combattrait, plus jamais... Et ce gamin, là-bas, qui lui ressemblait, disait-on, savait-il ce qui l'attendait ? A deux reprises il avait échappé à la mort. La première fois, il n'avait pensé qu'à prendre sa revanche. La seconde... La seconde, le toro avait fait plus que le tuer. Il arracha, plutôt qu'il ne prit, le récepteur du téléphone et composa nerveusement un numéro.

« Passe-moi les Voltaire, je vais les mettre dans la réserve.

– Qu'est-ce que tu vas mettre à la place ?

– Le Balzac Houssiaux qui vient d'arriver et le Sue complet de l'impératrice.

– Balzac ne serait pas tellement content d'être à côté d'Eugène Sue. Ils ne s'aimaient pas beaucoup ces deux-là !

– Peut-être, mais où veux-tu que je mette mon Chateaubriand ?

– Oh ! toi et ton Chateaubriand !

– Tu sais ce qu'il te dit mon Chateaubriand ? »

Les deux jeunes femmes qui rangeaient les livres de l'élégante librairie de la rue Saint-Honoré éclatèrent de rire. Doris, l'amoureuse de Chateaubriand, dit :

« Je ferais des folies pour la *Vie de Rancé* dédicacée.

– Moi, c'est pour le manuscrit de Lamiel que je ferais des folies, dit Laurence, redescendant de l'échelle, une pile de livres dans les bras. Tu vas à Drouot cet après-midi ? »

Doris poussa un gros soupir.

« J'aimerais bien, mais on n'a plus un sou. La semaine dernière, le lot de romans noirs qu'on a acheté a mangé toutes mes disponibilités. Et puis, les affaires ne sont pas tellement brillantes en ce moment... Laisse, je vais répondre. »

Doris décrocha le téléphone.

« Allô, Au Temps Retrouvé, j'écoute... Ah ! c'est vous... Où ? En Espagne... Non, je ne connais pas... C'est intéressant ? Pas mal ? D'accord... dans deux jours... Merci... Au revoir. »

Songeuse, Doris raccrocha sous l'œil ironique de Laurence.

« Tu vas pouvoir te l'acheter, ton Voltaire aux armes ! »

« Entrez ! » grommela Antonio, mal réveillé.

Julio, l'intendant, le secrétaire, l'homme à tout faire d'Antonio Marquez, pénétra dans la pièce suivi de Maria, la vieille gouvernante. Derrière eux, une jeune femme de chambre portant un lourd plateau entra à son tour.

« Belle journée, Monsieur », dit Maria en ouvrant les lourds rideaux.

Le soleil emplit la pièce, révélant aux yeux émerveillés de la soubrette une chambre au décor surchargé. Partout des ors, des brocarts, des tableaux et des miroirs dans leurs cadres baroques. Mais ce qui l'étonnait visiblement le plus, c'était le lit, immense, recouvert de fourrures et dont le chevet sculpté en bois doré représentait des corps de femmes nues et enlacées. Jamais elle n'avait rien vu d'aussi beau, même dans la chapelle de son village.

Antonio frappa ses oreillers et s'installa confortablement.

« Quoi de neuf, Julio, aujourd'hui ?

– Une nouvelle servante, toute mignonne. Approche-toi, petite. Pose ton plateau ! »

Antonio jeta un regard distrait sur la fille et se tourna vers Maria.

« Maria, n'oubliez pas les fleurs, beaucoup de fleurs. Pour le dîner, voyez avec la cuisinière, qu'elle fasse pour le mieux ! Julio, nous irons aujourd'hui chez Don Ernandez voir ses pouliches. Ça va, Maria, je n'ai plus besoin de rien. Vous pouvez vous retirer. Non, pas toi, petite. Reste ici...

– Bien, Monsieur. »

Maria et Antonio quittèrent la chambre, laissant la nouvelle servante face à son nouveau maître.

« Approche-toi... Comment t'appelles-tu ?

– Ornella, Monsieur.

– Ornella... C'est très joli. Assieds-toi près de moi... non, plus près. »

Elle s'assit, raide, les mains croisées sur ses genoux, la tête baissée, le visage dissimulé sous son abondante chevelure noire frisée.

« D'où viens-tu ?

– De la province de Murcie.

– Elle te plaît, ma maison ?

– Oh ! oui, Monsieur. »

La main d'Antonio s'égara dans le corsage de la petite, qui ne fit pas un mouvement.

« As-tu un amoureux ? »

Elle secoua sa tête obstinément baissée.

« Tu es sûre ? Une jolie fille comme toi... »

Il déboutonna la blouse noire, laissant apparaître un caraco de fine laine blanche comme en portaient encore sous leurs vêtements les filles de la campagne. Une poitrine lourde à la peau douce et mate frissonna doucement sous la main qui la caressait, la palpait, la meurtrissait. La petite gémit. Abandonnant les seins tendus, Antonio releva la jupe et glissa sa main entre les cuisses, plus blanches d'être soulignées par les bas d'épais coton noir. Il écarta la culotte de nylon blanc et introduisit ses doigts dans le ventre humide. Il ne les retira que lorsque Ornella s'affaissa dans ses bras en criant de plaisir.

Doris regardait, de chaque côté de la large allée bordée de magnifiques platanes, le parc qui semblait immense. Au détour de l'allée apparut un château comme on en voit dans les livres d'images, surchargé de tours, de mâchicoulis, de gargouilles, de hautes fenêtres à vitraux, sorti tout droit de l'imagination d'un élève de Gaudi qui aurait, croyant imiter son maître, rendu réel un délire d'enfant imaginatif. Si le propriétaire ressemble à sa maison, pensa Doris en descendant de la grosse limousine noire qui était venue la prendre à l'aéroport, je ne vais pas m'ennuyer. Elle monta l'escalier monumental, suivie du chauffeur qui portait ses bagages. La chambre où on la conduisit ressemblait à un intérieur moyenâgeux revu par Hollywood. Un feu de bois brûlait dans une cheminée de taille à contenir un arbre.

On frappa à la porte, Ornella entra et fit une révérence.

« Puis-je défaire vos bagages ? »

Doris regarda avec amusement cette soubrette qui semblait sortir d'un roman érotique des années 30.

« Bien sûr, mais avant faites-moi couler un bain ! »

Ornella se dirigea vers la salle de bain. Quand elle revint en s'essuyant les mains à son tablier, Doris paraissait songeuse.

La petite souleva la valise, la posa sur une table, l'ouvrit et entreprit d'en vider le contenu. Ses doigts s'attardèrent sur la lingerie. La voix, un peu rauque soudain, de la voyageuse, la tira de sa contemplation.

« Viens me déshabiller. »

Sans manifester la moindre surprise, Ornella l'aida à retirer la veste de son tailleur, à dégrafer la jupe, qu'elle fit glisser le long des jambes gainées de fins bas gris. Elle s'agenouilla, tandis que Doris s'appuyait sur son épaule pour retirer sa jupe. La jeune libraire portait une courte et ravissante combinaison de soie grise.

« Détache mon porte-jarretelles ! »

Ornella se redressa sur ses genoux et son visage arriva à la hauteur de la toison de Doris. Celle-ci caressa un moment les boucles brunes de la fille en appuyant sa tête contre son ventre. Le porte-jarretelles tomba, les bas glissèrent.

« Enlève ma culotte ! »

En même temps que la soubrette l'aidait à retirer sa culotte, elle enleva sa combinaison. Elle apparut dans toute sa blondeur aux yeux émerveillés d'Ornella, qui, assise sur ses talons, les mains croisées posées au creux de ses cuisses, murmura avec une ferveur enfantine :

« Que vous êtes belle ! »

Doris eut un rire de gorge et passa devant la petite en ébouriffant ses boucles.

« Tu me trouves belle ? Viens me laver. »

Ornella eut une expression de bonheur comique, comme un enfant à qui l'on permet de toucher un jouet longuement convoité, se releva avec une vivacité joyeuse et suivit cette femme belle comme la Madone. Doris releva ses longs cheveux en chignon au sommet de sa tête, se glissa dans l'eau bleutée de l'immense baignoire, s'allongea dans l'eau tiède et poussa un soupir de bien-être en fermant les yeux.

« Lave-moi ! »

Après avoir frappé, Julio entra dans la chambre de l'invitée du château. Il eut un sourire amusé en voyant la lingerie sur le sol. Il se baissa, porta à ses narines la minuscule culotte de soie grise et la glissa dans sa poche.

« Mademoiselle, une lettre pour vous. »

Ornella sortit de la salle de bain, décoiffée, les yeux brillants, les joues rouges, le tablier ouvert et complètement mouillé.

« En voilà une tenue ! Si Maria te voyait... »

Il lui saisit le bras et l'attira à lui.

« Que faisais-tu, petite vicieuse ?

– Lâchez-moi, monsieur Julio, vous me faites mal... La dame dit de laisser la lettre sur la table. »

L'intendant la lâcha en haussant les épaules.

« Va-t'en, on te demande à l'office. »

La petite allait répliquer quand Maria entra portant sur son bras des vêtements et tenant à la main de modestes chaussures noires. Ornella se faufila derrière elle et descendit en courant, tout en se réajustant, l'escalier qui menait à l'office. Restés seuls, Julio et Maria échangèrent un regard de connivence tandis que la gouvernante disposait sur le lit les vêtements qu'elle avait apportés.

« Tout ça à éplucher ! » s'exclama Ornella, d'un ton découragé devant les légumes posés sur la grande table de la cuisine du château.

La vieille cuisinière, assise au coin d'une immense cheminée où brûlait un feu de sarments, s'arrêta de plumer le faisan qu'elle tenait sur ses genoux recouverts d'un linge blanc et dit d'une voix cassée :

« Tu es jeune, tu n'en as pas pour bien longtemps. »

De mauvaise grâce, Ornella se mit à éplucher les légumes. Boudeuse, elle ne leva pas la tête quand Julio entra dans la cuisine. Il accrocha sa veste à la patère près de la porte et s'assit en face d'elle.

« Donne-moi un verre de vin.

– Servez-vous vous-même, je n'ai pas que ça à faire ! »

Julio se leva, fit le tour de la table et la souleva de son siège.

« Donne-moi à boire, j'ai soif !

– Laissez-moi ! »

Il lui pinça la taille et les seins.

« Alors, ça vient ? »

Elle se dégagea et se dirigea vers une longue desserte sur laquelle elle prit une cruche et un verre dans lequel elle versa le vin. Elle le lui tendit ; il le but d'un trait.

« Donne-m'en un autre ! »

Il but le second verre à petites gorgées sans cesser de regarder Ornella qui avait repris son épluchage, debout devant la table. Il s'approcha d'elle et, le visage dans ses cheveux, murmura :

« Comment est-elle ?
– Qui ?
– Ne fais pas l'idiote... l'invitée. Comment est-elle ? »
Elle eut un petit rire agaçant et, sans arrêter d'éplucher ses oignons, répondit :
« Elle est blonde. »
Il lui mordilla la nuque.
« Tu comprends très bien ce que je veux dire... Comment est-elle ?
– Si vous me chatouillez, je ne vous dirai rien, dit-elle en riant et en posant le couteau et l'oignon.
– Ne te moque pas... Comment est-elle ? »
Elle haussa les épaules.
« J'sais pas, moi, c'est une femme... »
Les mains de Julio s'égarèrent dans le corsage, malmenant la pointe des seins d'Ornella qui gémit sans toutefois se dégager :
« Vous me faites mal...
– Te fous pas de moi... Comment sont ses seins ?
– Ses seins ? dit-elle en se retournant.
– Oui, comment sont-ils quand elle retire sa robe, sa combinaison, son soutien-gorge ?
– Elle ne porte pas de soutien-gorge... »
La bouche de Julio allait d'un sein à l'autre.
« Comment sont-ils ? Allez, raconte !
– Ils sont ronds et doux, moins gros que les miens... mais plus fermes.
– Tu les as touchés ?
– Oui, en la lavant. »
La voix d'Ornella s'était brusquement voilée à

cette évocation tandis que les mains de Julio remontaient le long de ses jambes.

« Et ses jambes ?

– Ses jambes ? Oh ! longues, longues... »

Les mains de l'intendant atteignirent la chair tendre de l'intérieur des cuisses.

« Et ses cuisses ?

– Douces, monsieur Julio, douces...

– Et son ventre ? dit-il en écartant la culotte.

– Son ventre ? Oh ! monsieur Julio, son ventre... »

Elle se laissa aller en arrière sur la table. Il pénétra facilement le ventre humide qui venait au-devant de lui. Elle referma ses bras sur ses épaules et murmura :

« Appelle-moi Doris... »

Dans la vaste cuisine où brûlait un feu de sarments, où une antique horloge martelait le temps de son balancement ancestral, où une vieille femme entourée de plumes rousses, ses pauvres mains déformées, pour l'instant inactives, les yeux fixés sur le couple, leur souriait d'un air approbateur. Le bruit des soupirs et des gémissements amoureux emplit la pièce.

« Je dois m'habiller comme ça ? » demanda Doris à Maria, qui l'aidait à enfiler une sévère et longue robe de serge grise.

« Ce sont les ordres de Monsieur.

– Si ce sont les ordres de Monsieur, ironisa-t-elle, obéissons ! »

Avec une dextérité qui dénotait une certaine

habitude, la gouvernante lui emprisonna le front dans une cagoule de lin blanc, puis fixa le long voile de religieuse. Par-dessus le rabat blanc, elle passa une cordelière à laquelle pendait une croix, attacha le long chapelet de perles de buis à la taille de Doris et se recula pour mieux vérifier son travail. Un léger coup fut frappé à la porte.

« Entrez ! » dit Maria.

Ornella entra et s'arrêta sur le seuil, hésitant à reconnaître Doris sous les habits religieux. Celle-ci éclata de rire devant l'air médusé de la petite.

« Allez, entre ! Donne-moi une cigarette ! »

La petite tendit un paquet de cigarettes et un briquet à Doris, qui alluma une cigarette en poussant un gros soupir de satisfaction.

« Ça fait du bien... ça détend. »

On frappa de nouveau à la porte. Julio entra. Il n'eut pas l'air surpris de voir Doris habillée en religieuse.

« Je dois vous conduire auprès de Monsieur.

– Bien... Tiens, prends ma cigarette », dit-elle en la tendant à Ornella.

Elle vérifia sa tenue devant le haut miroir. Quel changement ! Elle avait du mal à se reconnaître. Comme elle était émouvante ainsi, comme elle paraissait plus fragile ! Elle aimait porter ce vêtement. L'amour des livres me perdra, pensa-t-elle après un dernier regard à son image. Elle sortit en faisant un sourire à Ornella, qui, dès la porte refermée, se laissa tomber sur un fauteuil, le regard lointain, et porta machinalement la cigarette à ses lèvres.

Ils traversèrent plusieurs pièces, puis suivirent de longs couloirs qui contrastaient avec le reste du château. Là, plus de dorures, de tableaux, de tapis, mais des murs blanchis à la chaux, troués de portes de bois sombre surmontées de devises pieuses, le sol recouvert de larges dalles de pierre — le tout faiblement éclairé. Au détour d'un couloir, ils entendirent des chants religieux qui semblaient provenir d'assez loin mais qui s'amplifièrent peu à peu. Julio poussa une porte. Les lumières de centaines de cierges, l'odeur de l'encens, la beauté des cantiques, laissèrent Doris un moment interdite sur le seuil.

« Entrez ! » dit Julio en s'effaçant pour la laisser passer.

Elle entra dans la chapelle, tandis que la porte se refermait derrière elle. Dans cet endroit était réuni tout le lyrisme de l'art religieux espagnol. Ce n'étaient que corps torturés, saintes en extase, bestiaire d'épouvante, le tout surchargé d'entrelacs compliqués et d'ors. Il se dégageait de cet excès une lourde et fascinante beauté. Un Christ grandeur nature, d'un réalisme effrayant, dominait le tout.

« Agenouille-toi », dit une voix qui paraissait venir de la croix.

Un peu troublée et inquiète, elle obéit. Le frôlement d'une étoffe sur le sol l'avertit qu'elle n'était plus seule. Elle sursauta quand une main gantée de rouge se posa sur son épaule.

« Prie le Seigneur ! Demande-lui pardon de tes fautes ! »

Doris eut du mal à ne pas éclater de rire. Cette scène, elle l'avait lue souvent dans des livres.

« Humilie-toi aux pieds de ton Rédempteur... »

Elle baissa la tête, comme abîmée dans une profonde prière.

« Lève-toi ! »

La main rouge l'aida à se relever. Elle se prit les pieds dans la longue robe, la main la retint et la conduisit devant le Christ. Elle voulut se retourner, l'homme aux gants rouges l'en empêcha. Il attacha chacun de ses bras à ceux du Crucifié au moyen d'une corde solide et la maintint fermement contre la poitrine de bois polychrome. Le visage de Doris touchait celui de Jésus.

« Regarde-le bien ! Il est mort pour toi, à cause de toi. Tu dois être punie... »

Il releva la lourde robe grise, la coinça dans la corde qui entourait la taille, flatta de la main les jolies fesses ainsi découvertes. Puis il se baissa et fixa les chevilles au pied de la croix. Les chants, qui s'étaient tus, reprirent.

« Voilà, maintenant, ta punition va commencer. »

Malgré son humour et son goût pour les situations érotiques bizarres, Doris prit peur. Et si j'étais tombée entre les mains d'un fou sadique? pensa-t-elle. Un léger coup de fouet la fit sursauter. Le deuxième fut plus sérieux, le troisième piquant, le quatrième sévère, le cinquième mordant, le sixième brûlant, le septième cinglant; au huitième elle supplia :

« Arrêtez... je vous en prie, arrêtez ! »

Au neuvième elle cria :

« Non... non... non ! »

Au dixième elle pleura; ensuite, elle perdit le compte des coups. Tout le bas de son corps n'était que souffrance. Longtemps après qu'il eut cessé de la frapper, elle gémissait encore.

Elle sentit qu'on la détachait. Elle tomba recroquevillée dans les plis de sa robe, les reins offerts. Elle se laissa traîner, sans résistance, par le bras. Une main lui releva le visage.

« Ne pleure plus, c'est fini. Tu n'as pas honte de te plaindre comme ça? Pense à Notre-Seigneur... »

Elle ouvrit ses yeux pleins de larmes; son rimmel avait coulé, barbouillant ses joues de marques noirâtres. Penché sur elle, un homme en habit de cardinal la regardait avec une tendre sévérité. Sans la quitter des yeux, il retroussa la longue soutane rouge.

Doris n'en finissait pas d'admirer les magnifiques reliures et les livres rares de la bibliothèque. Que de merveilles! Elle en salivait d'envie.

« Vous aimez les livres? »

Doris se retourna. Un homme grand, en smoking, se tenait devant elle.

« Oui, beaucoup. Vous êtes Antonio Marquez?

— Oui, pour vous servir. »

Elle reconnut cette voix et, à sa grande confusion, cela la fit rougir. Elle allait parler, quand il s'inclina.

« Venez, le dîner est servi. »

Elle refusa la main qu'il lui tendait et sortit de la bibliothèque, raide, dans le froufrou de sa longue robe de soie blanche.

La salle à manger était splendide, la vaisselle somptueuse, le service silencieux et discret, la nourriture excellente, les vins merveilleux. Gourmande, elle apprécia et peu à peu se détendit. Ils parlèrent de littérature espagnole et française. Malgré quelques lacunes, c'était un amateur. Il lui parla aussi de la corrida avec une passion et une émotion qui l'intriguèrent. A la fin du repas, l'ambiance était tout à fait détendue et amicale. Sur sa demande, il fit servir le café et les liqueurs à table. Les domestiques se retirèrent. Depuis un moment, Doris paraissait songeuse. Elle dit, comme se parlant à elle-même :

« Je ne comprends pas... »

Il tira une bouffée sur son cigare avant de répondre :

« Qu'est-ce que vous ne comprenez pas ?

– Tout ça, dit-elle en montrant le décor, les livres, les toros, le...

– Le cardinal ?

– Oui, le cardinal. Pourquoi ?

– Pourquoi ? C'est un peu long et délicat à expliquer. Je n'ai pas l'habitude d'en parler. C'était peu de temps après mon premier combat, ma première victoire. J'étais très jeune. Je venais d'avoir dix-sept ans. Le sort m'attribua, à ma deuxième corrida, un animal nerveux, réagissant au moindre bruit, à la moindre provocation. Il était courageux, moi aussi. Dans l'arène la foule hurlait, m'acclamait. Grisé, je fus téméraire, imprudent. Un coup de corne m'éventra, la bête me projeta en l'air, me piétina. Ensuite, je ne sais plus... Par miracle, je fus sauvé grâce sans doute à mes prières. J'étais très croyant à l'époque et je le suis encore... à ma façon. On m'envoya en convalescence dans une maison de repos tenue par des religieuses. J'avais pour compagnon un vieux cardinal. Nous devînmes, malgré la différence d'âge, d'éducation et de milieu, rapidement amis. Cet homme avait eu, et avait encore, deux passions dans sa vie : la corrida et les femmes. Il parlait de l'une en aficionado et des autres en amoureux. Le croirez-vous, à l'époque, j'étais totalement innocent et complètement inculte. Il me prêta des livres, m'en fit venir de Madrid. Au cours de nos longues promenades à travers le parc du monastère, il me faisait commenter mes lectures, m'expliquant ce que je n'avais pas bien compris. Il me donna le goût de lire et de rechercher des livres rares. Mon éducation ne se borna pas à la littérature et à la poésie. Certains des livres qu'il m'avait prêtés m'avaient laissé dans un état que vous pouvez deviner... Je n'osai lui en parler jusqu'au jour où il mit la conversation sur ce sujet. Son naturel était tel en parlant de ces choses qu'il m'ôta toute crainte et tua dans l'œuf un sentiment de culpabilité qui commençait à se faire jour en moi. Pour cela, il me parla de lui, de ses expériences, de ses fantasmes, sans se douter, je crois, de l'influence que cela pouvait avoir sur ma vie sexuelle. Un de ses récits marqua définitivement ma vie érotique. Pourquoi celui-là plutôt qu'un autre? Je n'en sais rien. Il me raconta qu'étant évêque, il aimait faire retraite dans des couvents féminins, à la règle rigoureuse de préférence. Chaque nuit, peu après minuit, il se levait, revêtait ses plus beaux habits sacerdotaux et déambulait dans les couloirs du monastère.

Quand il arrivait dans ceux où étaient les cellules des nonnes, son pas se ralentissait et il passait lentement devant chaque porte, qu'il frôlait du bas de sa cape de taffetas... Il imaginait toutes ces chastes filles réveillées et troublées par le bruissement de sa robe, les mains croisées, griffant des seins intouchés, ou le corps tordu, pénétré par l'amour divin, la bouche entrouverte dans l'attente d'un baiser de l'Epoux céleste, remerciant Dieu de leur avoir donné un pasteur aussi attentif au repos de ses brebis, tandis qu'elles se roulaient sur leur couche de vierge en bénissant la Sainte-Trinité de l'extase dans laquelle elles sombraient. Au matin, à la chapelle, les cernes de leurs yeux attestaient qu'il ne s'était pas trompé. Celles qui se confessaient à lui d'avoir eu, croyaient-elles, des pensées impures, il les rassurait en leur disant que Dieu leur envoyait ces émotions, ce plaisir, en récompense de leurs sacrifices et de leurs prières. Elles partaient rassurées, attendant la nuit suivante avec impatience. Il n'eut jamais d'autres contacts avec elles; il n'en avait pas besoin : son rêve lui suffisait... tout comme le mien. Je ne me suis pas rendu compte tout de suite que j'avais un goût semblable au sien. Il a fallu bien des années, bien des souffrances. Je ne suis pas aussi à l'aise que lui dans ce domaine... Oui, je sais, je vois à votre regard que vous n'êtes pas de mon avis... Ne vous fiez pas aux apparences! Ainsi, moi, suis-je vraiment le cardinal de tout à l'heure... ou bien...

– Ou bien?

– Venez, vous comprendrez mieux... »

Il l'aida à se lever et la conduisit à sa chambre, ou Maria l'attendait.

Devant le grand Christ de bois polychrome, enveloppée de vapeurs d'encens, nimbée de la lumière des cierges, sublimée par la beauté des chants, une femme en habit de religieuse, à genoux, semble prier. On perçoit le frôlement d'un tissu de taffetas. Une silhouette enveloppée du bruissant tissu rouge pénètre dans la chapelle et s'avance vers la femme agenouillée, se retourne et lui fait face. Doris est là, debout, entièrement nue, à l'exception de la longue cape rouge retenue à son cou par une agrafe d'or.

« Regarde-moi ! »

La religieuse lève son visage... Doris retient son sourire, appuie la tête voilée contre son ventre :

« Allez, ma fille... Dieu le veut... »

Tandis qu'éclatent des alléluias, Don Antonio Marquez lèche doucement le ventre offert.

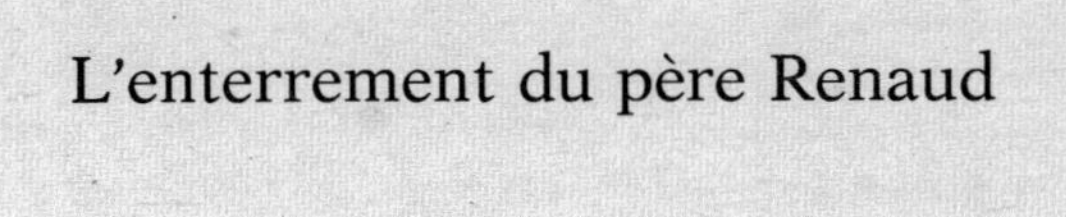

L'enterrement du père Renaud

Un matin, comme il avait fait la
[grande fête,
un pot de réséda lui tomba sur la
[tête,
et le Seigneur l'admit au Paradis
[profond,
car il était plus vif que méchant
[dans le fond...

GEORGES FOUREST,
La Négresse blonde
« Le doigt de Dieu ».

Par une belle fin de matinée de juillet, un corbillard couvert de couronnes et de bouquets, suivi par une foule vêtue de noir, traversait la campagne resplendissante, accompagné par le chant des oiseaux, le raclement des solides souliers sur le gravier de la route et les conversations des gens du cortège.

Venait d'abord, derrière la voiture funèbre, une élégante jeune femme blonde, en grand deuil, dont les escarpins se recouvraient peu à peu d'une fine poussière blanche. Un gros homme au visage sanguin la suivait de très près, son costume noir ceint de l'écharpe tricolore. Il s'essuyait fréquemment le front avec un mouchoir à carreaux de la taille d'un petit drap. Derrière lui, les hommes du village, coiffés de grands feutres noirs au milieu desquels on remarquait un jeune homme très beau, la tête nue, les cheveux assez longs et bouclés, vêtu d'un costume gris clair très bien coupé. Derrière encore venaient les femmes, en chapeaux de paille ou fichus noirs.

« C'est la Martine, la petite fille du défunt... Ça faisait bien des années qu'on ne l'avait pas vue.

– Qu'est-ce qu'elle va bien pouvoir faire de la ferme du père Renaud ?

– L'a l'air d'une sacrée fumelle...

– T'as vu ce cul ? L' maire a quasiment le nez dessus.

– Et le jeunot avec qui elle est venue, vous l'avez vu ? Il a pas dû souvent se servir de ses mains, çui-là !

– Ça dépend pour quoi...

– L'a une tête de fille, ce p'tit gars... »

Le maire, les yeux fixés, comme l'avaient remarqué ses administrés, sur l'ampleur émouvante des hanches de Martine, semblait à deux doigts de l'apoplexie. Il desserra son nœud de cravate et s'épongea le visage et le cou. Enfin, le cortège arriva au petit cimetière qui dominait le village. La chaleur de midi exacerbait l'odeur entêtante des cyprès. Devant le corbillard, des poules, dérangées, se sauvèrent en piaillant.

La voiture pénétra dans l'enclos, passa devant le monument aux morts et s'arrêta au bout de l'allée principale devant une fosse ouverte. Un homme en bleu de travail, la tête recouverte d'un chapeau de paille comme n'osent plus en porter les épouvantails, attendait, appuyé sur le manche de sa pelle. Les croque-morts sortirent le cercueil. La voiture fit marche arrière. Comme tous les gens du cortège, Martine, aidée par le maire, monta sur une tombe pour le laisser passer. Tous s'agglutinèrent devant le trou béant. Le cercueil glissa doucement entre les parois de terre.

Le maire, de plus en plus rouge et de plus en plus transpirant, y alla de son discours. Il sortit de sa poche des feuillets pliés en quatre, les déplia, mit ses lunettes et commença d'une voix forte :

« – Homme de la terre, Renaud Michel a per-
« sonnifié mieux que personne notre belle région
« fière de ses traditions républicaines. Homme
« dévoué à tous les gouvernements, il sut coura-
« geusement, lors de la dernière guerre, se main-
« tenir à l'écart... des querelles qui divisèrent
« notre beau pays... Cela ne fut pas compris de
« tous, mais lui valut l'estime de l'élite de notre
« région... »

– Tu parles ! Il était collabo comme un fou...

– Même que les F.F.I. ont failli le jeter dans son puits !

– Faut dire que les maquis, ils ont surtout été nombreux... après.

– Sûr, même que le défunt, il a dit qu'il en était, vu qu'une nuit y a eu un parachutage dans son champ, derrière sa ferme...

– Oui... même que les autres s'étaient trompés de village et qu'on a failli avoir des ennuis !

– N'empêche... le beau salaud, ça lui a rapporté gros le marché noir !

– Chut ! Vous allez pas vous taire... C'est-y pas une honte de parler en mal des morts... pas même enterrés encore !

– T'as raison, l'Antonine. Ah ! ce que c'est que de nous autres !

– Tu f'rais mieux d'écouter not' maire. Ça vaut le coup.

– « ... notre ami, de mœurs irréprochables ! »

– Il s' fout d' nous, l' maire... De mœurs irréprochables ! Et la Lucette... et la Marie... et la grosse Germaine qu'il a engrossée ! Et la Claire qu'a dû quitter le pays, sans compter sa bonne amie de Bellac et les putes de Limoges...

– « ... généreux, il donnait sans compter à « l'orphelinat... »

– Ça, il les aimait bien les orphelines!

– Y'avait guère que ça de sympathique chez lui, son goût des belles filles.

– Comme le maire...

– Tais-toi, laisse-moi écouter la fin!

– « ... conseiller municipal vigilant, homme « simple et vertueux, ami fidèle, Renaud Michel, « adieu... »

Un soupir s'échappa de toutes les poitrines. De soulagement... à moins que ce ne fût d'émotion.

Pendant tout le discours du maire, la belle fille en grand deuil avait eu bien du mal à réprimer son fou rire.

Le curé s'approcha de la tombe, dit une brève prière, aspergea le cercueil d'eau bénite, serra la main de la fille et s'éloigna vers le groupe de femmes. La jeune fille s'avança à son tour vers la fosse ouverte et, prenant le goupillon que lui tendait l'enfant de chœur, traça dans l'air un vague signe de croix. A son tour le maire bénit la dépouille de son vieil ami, puis, prenant le bras de Martine, il approcha son visage luisant du voile noir.

« C'était un bien brave homme, votre grand-père, mademoiselle Martine, bien honnête, vertueux.

– Ce n'est pas comme vous, monsieur Jean. »

Le maire lâcha le bras de Martine, comme s'il l'avait brûlé!

« Pourquoi m'appelez-vous comme ça ? Mon nom est Victor.
– C'est bien comme ça qu'on vous appelle à Paris, à *La Fiesta* ?
– Vous êtes folle, taisez-vous ! »
Monsieur Jean ou Monsieur Victor l'entraîna à l'écart.
« Tiens, l' maire qu'essaie de se faire la Martine pour la sieste.
– Quel vieux cochon, tout d' même !
– Une sacrée traînée... Devant la tombe encore ouverte de son grand-père !
– Allez, la Jeanne, c'est pas ça qui l'aurait gêné, le père Renaud...
– Oh ! que non ! Le vieux saligaud, il banderait dans son cercueil que ça ne m'étonnerait pas. »
Un à un, les assistants présentèrent leurs condoléances à Martine et, par la même occasion, au maire, qui était auprès d'elle.
« Qui êtes-vous, nom de Dieu ? »
Le curé entendit et lança un regard de reproche au pauvre maire transpirant qui haussa les épaules en guise d'excuses. Martine souleva son voile.
« Clara ! Eh bien, si je m'attendais à celle-là ! La petite-fille de ce salaud de Renaud ! Il est vrai que bon sang ne peut mentir. Une des plus belles garces de Paris... Tu vas tenir ta langue, j'espère ?
– Peut-être. Si vous tenez la vôtre, monsieur le maire...
– Tope là ! Tout compte fait, j' suis pas mécontent de te voir. On va pouvoir rigoler tous les deux. Qui c'est le gamin qui t'accompagne ?
– Mon amant.
– Ton amant ? »

Sous l'œil scandalisé des femmes du village, Victor éclata d'un gros rire qui s'acheva dans un gargouillis honteux.

« Hum... excusez-moi ! La chaleur... l'énervement... »

Le bras de Martine commençait à lui faire mal d'être secoué par tant de mains rudes et calleuses. Sa gorge était desséchée par les mercis accompagnant chaque poignée de main. Ouf, la dernière !

« Dominique, je n'en peux plus. »

Elle se jeta dans les bras du jeune homme en gris.

« Monsieur le maire, je vous présente Dominique. Vous l'avez déjà rencontré.

– Bonjour, monsieur Jean. »

Les deux jeunes gens eurent du mal à retenir leurs rires devant l'air complètement ahuri du maire.

« Mais... je ne connais pas ce monsieur !

– Oh ! mais si, vous le connaissez ! Mais cela n'a pas d'importance, Dominique sera aussi discret que moi, n'est-ce pas, Dominique ?

– Bien entendu, mon ange. Ne sommes-nous pas entre gens du monde ? »

Martine et Dominique s'éloignèrent en se tenant par la taille, suivis du maire, le front barré de rides de perplexité et s'épongeant de plus belle.

Dominique, tout en marchant, piquait de petits baisers le cou de Martine.

« Sais-tu que tu es particulièrement excitante en veuve ? J'ai envie de toi.

– Arrête... on va les choquer ! D'abord, j'ai faim.

– Et moi donc ! »

Le maire les rejoignit en soufflant.

« Moi, je me sens de taille à avaler un bœuf. La mère Poulard nous a préparé un bon déjeuner. Le père Renaud tenait beaucoup à la qualité de son repas de funérailles, il a laissé des instructions pour ça. Il disait que c'était une politesse à faire à ceux qui l'avaient connu et qu'une fois le ventre plein, leur langue se ferait peut-être moins méchante... Ah ! c'était un bon vivant ! »

Sur ce mot qu'il trouvait sans doute drôle, le maire éclata d'un gros rire qui fit se retourner quelques bonnes femmes attardées sur le bord de la route.

Dans la grande salle commune de la ferme du père Renaud, des femmes, le corps ceint d'un large tablier, s'activaient autour de longues tables recouvertes de draps d'une blancheur d'autrefois. Elles avaient dû emprunter aux plus proches voisins du défunt la vaisselle nécessaire à de si nombreux convives. Cela donnait aux tables un air de gaieté disparate. Entre les assiettes serpentaient des branchages parsemés de pétales de roses. Sur les murs blanchis à la chaux on avait accroché des guirlandes découpées dans de vieux journaux illustrés, trouvés au grenier. Elles contournaient le calendrier des postes de l'année passée, un morceau d'écorce sur lequel l'artiste avait peint le Mont-Saint-Michel dans l'éclat d'un coucher de soleil fait de paillettes maintenant ternies. Elles s'enroulaient autour d'un chromo représentant une jeune fille tenant une gerbe de fleurs et les portraits des parents du père Renaud. Le râtelier dans lequel il rangeait une dizaine de vieilles pipes toutes plus culottées les unes que les autres, certaines hors d'usage, le crucifix couvert de chiures de mouches, deux assiettes, l'une avec un bateau bleu, l'autre avec un château vert, étaient ainsi mis en valeur. Le coucou, qui n'avait jamais pu sonner à l'heure malgré de fréquents séjours chez un vieil horloger de la rue des Arènes à Limoges, sortait de sa maisonnette plus souvent qu'il était nécessaire. L'horloger, lassé de voir revenir presque chaque année cette mécanique rebelle, avait suggéré un jour au père Renaud de remplacer son coucou par une pendule plus moderne. Il s'était fait traiter d'incapable, de saboteur, de pousse à la ruine. Furieux, le père Renaud avait arraché son coucou des mains de l'homme de l'art et lui avait retiré sa pratique. Depuis, le capricieux coucou avait sonné les heures à son rythme. Comme le disait Renaud : « Il devait avoir ses raisons. »

Au-dessus de la haute cheminée trônait une photo du défunt en costume de zouave. La photo rehaussée de couleurs vives était du plus bel effet. Bien sûr, plus personne ne se souvenait d'avoir vu Michel Renaud dans l'uniforme de son service militaire. Des conscrits de sa classe, il n'en restait plus un.

De la souillarde où se tenaient les fourneaux montaient des odeurs riches et généreuses. Les premiers convives arrivèrent.

La salle était pleine, quand Martine redescendit de l'étage où elle était montée retirer son voile et sa robe sombre. Elle portait une légère robe de soie blanc et noir au décolleté pointu plongeant entre ses seins. Derrière elle, elle laissa des effluves de Shalimar. Dominique la suivait, toujours impeccable dans son costume gris. Le maire joua les maîtres de cérémonie et plaça les invités du mort. Martine fut installée à la place d'honneur, avec à sa droite le curé et à sa gauche celui qu'elle appelait Monsieur Jean. Dominique se retrouva coincé entre deux accortes et fortes femmes. Les serveuses commencèrent le service en apportant d'énormes soupières contenant un bouillon de poule au vermicelle, suivi de charcutailles du pays et d'une omelette aux girolles. Au début, on n'entendit que le bruit des fourchettes, du vin que l'on verse, des verres que l'on heurte et des mâchoires en action. Tout le monde fit chabrot[1] à l'exception de Martine et de Dominique, vaguement écœurés. A l'arrivée des volailles, les manches de chemises étaient retroussées, les cravates enlevées, les ceintures desserrées, les corsages entrouverts. Un vin épais et lourd, presque noir, tiré frais de la cave, coulait abondamment, tachant les mentons et les nappes. Quand vint le gigot, accompagné de haricots blancs et de haricots verts sans le moindre fil, tout le monde était rouge, luisant, débraillé et rigolard. Même le curé avait du mal à garder sa dignité. Quant au maire, sa main s'activait sous la table. Martine, les yeux

1. Faire chabrot ou chabrol : mettre du vin dans le potage.

mi-clos, le corps à demi renversé sur sa chaise, souriait béatement. De son côté, Dominique ne restait pas inactif, les mains pleines des charmes opulents de ses voisines. La salade et le fromage furent servis dans un brouhaha de festin d'épousailles plutôt que de funérailles.

Le curé fut le premier à déclarer forfait. Il se leva en titubant et alla s'effondrer sous le vieux tilleul devant la maison. Son départ fut salué par une sorte de hourra qui donna le signal aux gestes paillards plus ou moins bien contenus jusque-là. Les hommes attirèrent les servantes sur leurs genoux, se mettant à plusieurs pour dégrafer un corsage, fouiller sous une jupe. Les filles, certaines jeunes et fraîches, se débattaient en riant et en piaillant, mais leurs yeux brillants, leurs gestes de refus comme ralentis, démentaient leurs propos. Les serveuses qui réussirent à se dégager des mains entreprenantes apportèrent de grands saladiers de mousse au chocolat et d'œufs au lait accompagnés de clafoutis aux cerises qui tachèrent aussitôt les lèvres et les doigts. Quand arrivèrent le café et les liqueurs, les plus vieux et les plus vieilles se retirèrent en essayant de prendre des airs dignes, et allèrent s'écrouler sous le tilleul en compagnie du curé, après avoir pissé le long du mur des écuries. L'air s'emplit de ronflements sonores.

La salle exhalait une odeur de fauve, de vin répandu, de rôti, de chocolat, de tabac, d'aisselles, de feu de bois et d'écurie. Une table, qui s'était effondrée sous le poids d'un couple que l'excès de boisson empêchait manifestement de mener à bien leur entreprise amoureuse, gisait sur le sol pavé de larges pierres inégales. L'homme, malgré ses efforts et l'aide intéressée de sa compagne, ne parvenait pas à se soulever. Il retomba sur le dos, dépoitraillé, débraguetté, jambes écartées – gros animal obscène – sur la nappe autrefois blanche, parmi les débris du repas. Son ronflement annonça à la femme déçue qu'il lui fallait chercher ailleurs l'assouvissement de ses désirs. Elle avisa un grand garçon à l'air un peu benêt qui regardait ce spectacle, l'œil allumé et timide à la fois, et qui se caressait, une main dans la poche de son pantalon.

« Eh bien, le Lucien, c'est-y des façons de faire quand il y a des dames ? »

Le Lucien hennit plutôt qu'il ne rit et se frotta de plus belle avec un air de grand contentement.

« Veux-tu bien arrêter, garnement... faut pas perdre de la bonne marchandise ! Viens-t'en à l'écurie, on a changé les litières des chevaux. Ça m'excite, moi, l'odeur des bêtes... »

Elle lui arracha la main de sa poche et l'entraîna vers l'écurie, tanguant comme une barque en haute mer.

Une des servantes, une brune mafflue, aux gros seins qui débordaient d'un corsage défait, aux aisselles abondamment garnies d'une odorante toison bouclée, soutenait l'assaut de deux gaillards en manches de chemise qui tentaient de la culbuter sur une des tables. Ils y réussirent, et la fille se retrouva à plat ventre, le nez dans une assiette encore pleine de mousse au chocolat dont elle se barbouilla copieusement en riant aux éclats. Un des hommes retroussa sa jupe. Alors apparut le plus beau cul que l'on puisse voir : énorme, ferme, d'un blanc d'ivoire, fendu par une haute raie ombreuse qui en soulignait encore la blancheur.

« Vingt dieux, qu'il est beau ! René regarde ! Un cul pareil, faut le voir pour y croire...

– Tu dis vrai, fils : un cul comme ça, c'est à genoux qu'il faut le baiser... »

René joignit le geste à la parole, écarta les deux belles fesses et y déposa un baiser sonore. Son compagnon le bouscula, sortit un sexe aux dimensions imposantes, amena vers lui les larges hanches de la fille et s'enfonça en elle avec un han ! de bûcheron, auquel répondit un gros soupir de contentement. René regardait son ami qui s'activait, avec convoitise. Il se glissa sous la table afin de ne rien perdre d'une scène si émouvante.

Sous une autre table, un couple tête-bêche se donnait du plaisir, et dans un coin, une femme d'un âge respectable suçait un garçon, qui, un verre à la main, regardait avec satisfaction cette bouche aller et venir.

Le maire, la main droite toujours sous la table, les yeux hors de la tête, le visage cramoisi, sembla sur le point d'avoir une attaque quand la main gauche de Martine défit un à un les boutons de son pantalon et que ses petits doigts s'insinuèrent dans l'ouverture de son caleçon.

« Oh ! petite, arrête ! Viens dans la grange... on sera plus tranquilles.

– Pourquoi ? On est bien ici.

– Mais je te veux nue... Arrête ! tu vas me faire jouir !

– Et alors, ce n'est pas ça que tu veux... Monsieur Jean ?

– Ne m'appelle pas comme ça, on n'est pas à Paris ici !

– D'accord, on n'est pas à Paris. Mais on est aussi cochon qu'à Paris dans ton bled !

– Cela n'est pas pour te déplaîre, hein, salope ? »

Martine gémit, s'ouvrant aux doigts du maire qui au même moment poussa un rugissement en s'affalant davantage sur sa chaise.

« Oh ! non... je t'avais dit d'arrêter !

– On remettra ça plus tard, mon gros... »

Pendant tout ce temps, Dominique avait résisté aux assauts de ses deux aguichantes voisines, qui, à elles deux, ne devaient pas faire moins de deux cent cinquante kilos, et dont les appétits étaient à la mesure de leur poids. Il avait fui sous les quolibets des femmes déçues.

« C'est jeune et ça n'a rien dans la culotte...

– Va donc, mauviette, bande-mou !

– Un homme, ça... Une fille oui !

– Regarde le Victor, il s'embête pas !

– C'est pas juste ! »

Elles se dirigèrent en titubant vers le maire, qui, s'étant rajusté tant bien que mal, essayait d'entraîner Martine.

« Viens dans la grange... les hors-d'œuvre, ça me donne faim.

– Pas maintenant, je vais rejoindre Dominique.

– Eh ! Victor, tu pourrais penser à nous... Les autres fois, tu ne fais pas le fier !

– Vous avez raison, c'est encore entre vieux copains qu'on baise le mieux. On y va. Comme d'habitude... à trois. Ah ! sacrées garces... »

Ils durent s'y reprendre plusieurs fois pour passer la porte et s'éloignèrent en se tenant par la taille et en braillant *La Digue-du-cul.* Dès qu'ils furent sortis, la tête de Dominique apparut à une fenêtre grande ouverte parmi les géraniums.

« Pstt... tu es seule ? Ce n'est pas trop tôt. »

Il enjamba la fenêtre et manqua s'étaler sur un gros homme endormi. Martine mit ses bras autour du cou de Dominique et l'embrassa tendrement.

« Ils sont marrants, les gens de ton village. Ils sont toujours comme ça ? »

Le rire de Martine fusa, joyeux et taquin.

« Seulement les jours de fête : baptêmes, communions, mariages, enterrements, la foire annuelle et, autrefois, les vendanges et les moissons. Les autres jours, ils ne sont pas drôles. C'est pour ça que j'ai quitté le pays. Tu me vois m'occupant de mes mômes et de mes cochons ? Viens, je vais te montrer ma cachette. »

Elle l'entraîna vers l'escalier, qu'ils montèrent en courant. Par une porte entrouverte leur parvinrent des gémissements et le grincement d'un sommier. Troublée, Martine se frotta contre Dominique qui la poussa contre le mur et retroussa sa jupe.

« Non, pas ici... Viens ! »

Ils montèrent un autre escalier, plus raide celui-là. Martine poussa une porte vétuste et ils se retrouvèrent sous les combles, dans un vaste grenier dont une partie était remplie de blé. Martine se jeta à plat ventre sur les grains surprenants de fraîcheur. Elle fit couler le blé le long de ses seins et de ses bras en riant comme une petite fille.

Dominique la regardait, attendri. Martine se releva, fit glisser une trappe. D'un immense grenier rempli de foin monta cette odeur sucrée et entêtante, liée aux vacances, qu'elle aimait tant. Elle s'assit, jambes pendantes, et se laissa tomber dans la masse odorante, aussitôt suivie par Dominique. Ils restèrent un long moment immobiles, s'habituant à la pénombre du lieu. Trois des murs étaient en planches vermoulues et disjointes par endroits, entre lesquelles pénétraient de minces rais de lumière dorée où dansait une fine poussière.

« Quand j'étais petite, je venais souvent me cacher ici pour jouer avec les gamins du village. Il fallait se cacher, car grand-père n'aimait pas nous voir dans les greniers. Il avait toujours peur que nous fassions des bêtises...

– C'était sûrement le cas !

– Même pas. A moins que jouer au docteur et au mari et à la femme soit considéré comme une bêtise.

– Montre-moi comment tu jouais au docteur... »

Dans cet endroit qui lui était familier et lui rappelait son enfance, Martine, les cheveux emmêlés de foin, avait l'air d'une petite fille, beaucoup plus émouvante que la jeune femme habituée de certaines boîtes parisiennes comme *Elle et Lui*, le *Katmandou* ou l'immuable *Moune*.

Dominique retira sa veste et ses chaussures et fit glisser la fermeture de son pantalon.

« Attends, laisse-moi faire ! »

Martine attrapa le bas des deux jambes du pantalon et tira d'un coup si sec qu'elle tomba en arrière, jupe retroussée. D'un bond, elle se redressa, enleva de fines chaussettes de soie noire. Rampant dans le foin, elle s'allongea sur son ami tout en lui mordillant le cou et les oreilles.

« Arrête, tu me chatouilles ! Arrête... attends ! Tu vas voir... »

Il la fit basculer et la maintint sous lui en la tenant par les poignets.

« Enlève-moi ma robe ! » dit Martine d'une voix devenue rauque.

La légère robe sembla quitter sa propriétaire comme par enchantement, découvrant la totale nudité de Martine.

« Comme tu es belle ! »

Les mains de Dominique parcoururent le joli corps qui se couvrit d'une fine sueur bientôt tatoué de pétales séchés jaunes, bleus et blancs, et de feuilles d'un vert passé. Martine arracha, plutôt qu'elle ne la retira, la chemise de Dominique.

Rien de plus joli que ces deux corps : le corps doré, mince et blond de Martine, aux seins épanouis, lourds et fermes, et celui de Dominique, brun, nerveux, à la taille incroyablement fine, faisant, par contraste, paraître plus larges les hanches et plus opulents deux seins mignons à l'aréole large et foncée.

Les deux filles glissèrent l'une contre l'autre en un mouvement lent et soyeux.

Au-dehors, la grosse chaleur était tombée. Les invités du père Renaud dormaient, un sourire repu aux lèvres.

Le défunt pouvait être content : pour un bel enterrement, ç'avait été un bel enterrement.

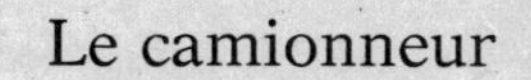

Le camionneur

T'es beau comme un
[camion...

Anonyme populaire

« LÀ... Très bien ! Ne bouge plus ! De profil maintenant... Tiens ta robe comme si tu voulais la soulever. Un peu moins haut... Bien ! Regarde-moi... baisse la tête... Non, pas tant ! Parfait ! Ne bouge plus ! Encore une...

– Dépêche-toi, je suis fatiguée.

– Mon petit, il faut du temps pour l'artiste.

– Tu parles d'un artiste ! Un gagne-petit, un fauché qui me doit plein de fric.

– Allez, sois gentille. C'est bientôt fini. A la fin de la semaine, promis, je te paie. »

Nathalie éclata de rire; l'argent d'Aldo, ce n'était pas demain qu'elle en verrait la couleur. Cela n'avait pas tellement d'importance, elle était un des modèles les mieux payés d'Italie. Et puis, Aldo était un vieux copain qui l'avait connue pauvre gamine aux chaussettes trouées et aux robes trop courtes. Si on ne s'aidait pas entre amis... La sonnerie du téléphone la fit sursauter. Aldo alla décrocher en râlant.

« Oh ! merde, on ne peut pas travailler tranquillement ! Allô ! Qui ? Nathalie ? Oui, elle est ici, je vous la passe. C'est pour toi... Dépêche-toi, je n'ai pas que ça à faire. »

Nathalie lui prit l'appareil des mains.

« Oh ! la barbe... Allô ! c'est vous... Bonjour... »

Nathalie s'assit sur un coin de la table encombrée de photos qu'elle regarda machinalement.

« Pourquoi pas ? Quand ? La semaine prochaine ? C'est possible... ça peut être amusant. Au revoir. »

Elle raccrocha, songeuse.

« Arrête de rêvasser. Au boulot !

– Ça va, ça va, on y va ! »

Elle reprit la pose, plus alanguie, plus sensuelle. Aldo la félicita.

« Tu vois, quand tu veux, ça marche tout seul. »

Elle sourit et murmura :

« Un camionneur... »

Sur une autoroute en direction de Rome, deux hommes à bord d'un vingt tonnes, Paolo, très beau garçon au regard tendre et aux larges épaules, et Giuseppe, type même du routier hâbleur, amateur de bonnes fortunes, chantaient à tue-tête une complainte napolitaine.

Giuseppe attrapa deux boîtes de bière sur la couchette arrière et en tendit une à Paolo, qui l'ouvrit avec ses dents en faisant jaillir un peu de mousse. Les deux compagnons trinquèrent avec des hurlements.

« A la belle Luciana !

– A la belle Mila !

– A toutes les belles filles de Rome !

– Aux plus beaux culs d'Italie ! »

Le camion ralentit, quitta l'autoroute et s'engagea sur une petite route à travers bois. De chaque côté de la route, des prostituées attendaient le client, certaines autour d'un feu de bois, d'autres dansant, l'oreille collée à leur transistor. Une brune assez belle, Giorgina, reconnut la première le camion.

« C'est Paolo. Hé! les filles! c'est Paolo... »

Le lourd véhicule s'arrêta et les filles accoururent en criant :

« Paolo! Paolo! »

Elles montèrent sur les marchepieds, sur le pare-chocs. L'une d'elles frappa contre le pare-brise.

« Hé! Paolo! T'es mignon dans ta vitrine. On se croirait à Amsterdam... »

Giorgina haussa les épaules.

« Si Paolo touchait à ce truc-là, il serait hors de prix. »

Paolo et Giuseppe riaient, heureux de l'accueil. Une petite Innocenti toute cabossée s'arrêta de l'autre côté de la route.

« Giorgina, c'est pour toi!

— Celui-là, il tombe toujours mal. »

Un petit homme d'une soixantaine d'années, gros, vêtu d'un costume chiffonné, appelait Giorgina de la main.

« Bon, j'y vais... Attends-moi, Paolo, j'en ai pour une minute! »

Elle traversa la route en roulant des hanches, les fesses moulées dans un short très court, en balançant son transistor.

« Bonjour, Giorgina. Je m' suis dit : j' vais aller

faire un brin de causette avec ma copine Giorgina...

– Ecoute, si c'est pour bavarder, tu tombes mal. Mais si c'est pour tirer un coup, rapplique!

– Oh! Giorgina, j'aime pas quand tu parles comme ça! »

Giorgina l'entraîna vers les fourrés. Le petit homme faillit perdre l'équilibre, ce qui déclencha l'hilarité générale.

Autour du camion, les filles se mirent à danser. Giuseppe mimait une sorte de danse du ventre. Paolo, resté à l'intérieur, tapait des mains en cadence. Une fille, montée sur un cageot, posa ses lèvres sur le pare-brise en criant :

« Paolo, t'es beau comme un camion! »

Toutes ses compagnes, excitées, se précipitèrent pour l'imiter, et bientôt le pare-brise fut couvert de marques de rouge à lèvres.

Giorgina sortit des fourrés en tapotant ses cheveux, suivie du petit homme qui essayait de rajuster son pantalon.

« Giorgina, attends que je sois rhabillé... Aide-moi...

– Si t'as besoin d'une nurse, il faut aller ailleurs!

– Mais qu'est-ce que tu as aujourd'hui?

– Aujourd'hui, il y a Paolo... Allez, ciao! »

Elle courut vers le camion, plantant là son client dépité, monta dans la cabine, et se serra contre Paolo, qu'elle embrassa sur les deux joues.

« Ça me fait plaisir de te voir. Il y a longtemps... Où étais-tu?

– Avec Giuseppe, on n'a pas arrêté, on a été en France, en Belgique, en Hollande.

– Tu en as de la chance de voir du pays !
– Tu le sais, je t'emmène quand tu veux.
– Arrête, me fais pas rêver ! »
La tête d'une fille apparut à la portière.
« Attention, Giorgina, voilà Marco ! »
Une Lancia rouge s'arrêta derrière le camion tandis que les filles reprenaient leurs places de chaque côté de la route. Giorgina embrassa Paolo et ouvrit la portière.
« Salut, mec, je m' tire. »
Paolo la retint.
« Tu as peur ?
– Pas pour moi. Les coups, j'ai l'habitude. Mais j'aimerais pas qu'il t'arrive des bricoles.
– Je vais lui parler, moi, à ce petit con !
– Reste tranquille; si tu t'en mêles, j'aurai des ennuis. Je t'en prie, n'y va pas. Fais-le pour moi ! »
Paolo haussa les épaules.
« Après tout, ce sont tes affaires. Je passerai te voir un de ces jours. Tu viens, Giuseppe ? »
Giorgina sauta du camion et rejoignit les autres filles sans un regard pour la Lancia.

Le vingt tonnes reprit sa route. Derrière lui, la Lancia démarra. Après quelques kilomètres ils arrivèrent dans la banlieue de Rome et s'arrêtèrent sur le parking d'un relais routier que signalait la lueur tremblotante d'une enseigne au néon : *Casa Luciana*. Une quizaine de poids lourds étaient garés devant.
« Il y a du monde chez la belle Luciana aujourd'hui. »

La Lancia s'arrêta à l'autre bout du parking. Paolo s'y dirigea.

« Paolo, tu te magnes ?

– Eh ! fils, tu prendras bien le temps de pisser avant de mourir, non ? »

Il faisait déjà sombre, la nuit s'annonçait froide. Paolo, frottant ses mains l'une contre l'autre, s'approcha de la Lancia et tranquillement baissa la fermeture à glissière de son jean.

« Oh ! pardon, je vous avais pas vu... »

L'air stupide, Marco, debout contre sa voiture, regarda ses élégantes chaussures vernies et le bas de son pantalon souillés. Paolo se rajusta. Semblant enfin comprendre ce qui venait de lui arriver, Marco, rouge de colère, s'avança.

« Salaud ! Mes pompes...

– C'est pas grave ! Elles vont sécher...

– Sécher ? Fumier ! Une paire de pompes sur mesure... et toutes neuves. Essuie-les !

– J'ai sali tes pompes, c'est juste que je les nettoie. »

Paolo attrapa le petit maquereau glapissant, le plongea dans un grand baril rempli d'eau sale et, sans se presser, se dirigea en sifflotant vers le restaurant.

Quand Paolo poussa la porte, une grosse bouffée de chaleur, d'odeurs et de bruits lui sauta au visage.

« Cinq buts, qu'on leur a mis !

– ... des salopes j' te dis ! Toutes des salopes !

– Et une chianti, une !

– ... des salopes, c'est vite dit ! Ah ! si t'avais connu ma mère...

– Alors ce café, ça vient ?

– ... ta mère, j' dis pas, mais les autres ! Rien que des salopes !

– L'addition du huit !

– Vise le cul de Mila ! Il a encore profité... »

La grosse et brune Mila reçut sur les fesses une tape magistrale.

« Monsieur Luigi, c'est pas des façons... Oh ! Monsieur Paolo ! »

Paolo venait de glisser ses doigts dans l'échancrure du corsage de la serveuse sous l'œil courroucé de la patronne.

« Mila, fais ton service, les clients sont pressés.

– Mais, Madame, c'est M. Paolo... »

La porte s'ouvrit avec un tel fracas que tous les clients de Luciana s'arrêtèrent de parler et de manger et se tournèrent vers l'entrée. Marco se tenait sur le seuil, un long couteau à la main, dégoulinant d'eau sale. Il était à la fois si ridicule et si pitoyable que toute la salle éclata de rire malgré l'arme menaçante. Quelques routiers, dont Paolo et Giuseppe, s'avancèrent vers lui. Devant le nombre, il recula.

« Excusez-moi, c'est une erreur. Je cherche des amis... Vous n'auriez pas une serviette ? »

Il se retourna et se trouva face à un colosse qui le souleva sans peine et l'emporta. On entendit un grand plouf. Paolo murmura d'un air admiratif :

« Deux bains dans la même journée ! »

Paolo se dirigea vers le bar où Luciana, forte et désirable rousse, essuyait nerveusement des verres.

« Salut, Luciana, contente de me voir ?
– J'aime pas quand tu fais le con.
– Allez, arrête de râler ! Viens m'embrasser... »
Elle tendit ses lèvres par-dessus le comptoir.
« Vous arrivez bien tard, toi et Giuseppe, il n'y a plus rien à manger.
– Fais un effort, j'ai une faim de loup.
– Tiens, voilà une table. Mila, tu prépares la dix pour Paolo et Giuseppe ? »
Les deux amis traversèrent la salle et s'installèrent à leur table, salués par leurs copains. Mila posa devant eux une bouteille de vin.
« Qu'est-ce que je vous sers ?
– Deux carbonara.
– Bien servis, comme pour des malades ! »
Ils mangèrent et burent en silence, tandis que la salle se vidait. Giuseppe rota en essuyant son menton taché de sauce tomate et dit :
« J' tirerais bien un coup... »
Paolo lui donna une bourrade en riant et lui versa à boire.
« Toi, t'es programmé. Quand t'as fini de bouffer, il faut que tu baises... »
Le dernier client parti, Luciana ferma la porte à clef et retira son tablier.
« Comme ça, on sera plus tranquilles », dit-elle en s'asseyant entre Paolo et Giuseppe. Giuseppe se leva, attrapa Mila, qui lui échappa et courut vers la cuisine où il la rejoignit et la culbuta sur la longue table recouverte d'une toile cirée à carreaux verts et blancs.
« Oh ! Monsieur Giuseppe... »
Dans la salle à manger déserte, on ne perdait pas son temps non plus. Luciana, assise sur les

genoux de Paolo, les deux seins hors de sa robe, se laissait caresser avec de petits rires.

« Viens, mon Paolo, montons chez moi. On sera mieux... »

Paolo aimait bien la chambre de Luciana, il la trouvait très élégante avec son dessus-de-lit de satin rose, sa poupée habillée en pierrot, ses coussins au crochet, son papier à grosses fleurs orange, roses et vertes, sa coiffeuse juponnée de voile blanc avec un gros nœud assorti aux doubles rideaux, ses bibelots aux couleurs vives, ses reproductions de tableaux dont l'un, *La Cruche cassée,* lui plaisait beaucoup.

Malgré l'ardeur de Paolo, Luciana prit le temps de retirer le fragile dessus-de-lit rose et de le plier soigneusement. Cette opération donna à Paolo le temps de se déshabiller. Galant, il aida Luciana à faire passer sa robe par-dessus sa tête et l'allongea sur le lit.

Paolo alluma une cigarette tandis que Luciana le regardait dans le miroir de la coiffeuse.

« Que j'aime faire l'amour avec toi ! »

Paolo eut un petit rire de mâle satisfait et tendit la main vers un vieux numéro de *Play-boy* qui traînait sur la table basse près du lit.

« Ces gonzesses, c'est pas possible... »

Rêveur, il soulignait du doigt les courbes d'une blonde aux seins volumineux.

« C'est une fille comme ça que je voudrais me payer.

– C'est trop cher pour toi, mon beau. »

Il se souleva, l'attrapa par un bras et l'attira près de lui.

« Rien n'est trop beau pour un homme tel que moi. Tu devrais le savoir, ma jolie. Huit jours... seulement huit jours avec une fille comme on en voit dans les magazines.

– Huit jours ! Est-ce que tu te rends compte ? Il faudrait que tu en fasses des voyages pour te l'offrir !

– Tu ne comprends pas... L'argent, c'est pas le plus important. Ce qui est important, c'est le rêve.

– Le rêve, le rêve ! Tu me fais rigoler », dit Luciana boudeuse en s'éloignant de son amant.

« Les bonnes femmes, ça sait pas rêver... Ma moto, elle est encore très bien... Je pourrais la changer l'année prochaine... », murmura-t-il pour lui-même.

Devant la piazza d'Espagne, Paolo, engoncé dans un costume bleu marine, cravaté et trop bien peigné, faisait les cent pas, un bouquet à la main. Il était arrivé une demi-heure avant l'heure du rendez-vous tant sa crainte était grande de la manquer. Comme elle était en retard, il y avait plus d'une heure qu'il déambulait sous les regards amusés des marchands ambulants installés sur les marches de la place. Enfin, un taxi s'arrêta. Une très jolie blonde, élégante dans un tailleur noir à jupe fendue, en descendit sous les sifflements admiratifs des dragueurs de l'endroit. Elle regarda autour d'elle, vit Paolo et sourit. D'une démarche à rendre fous tous les mâles présents, elle se dirigea vers lui.

« Je suis Nathalie. C'est moi que vous attendez ? »

Paolo devint tout rouge et répondit en bafouillant :

« Oui... oui... c'est moi... Je veux dire... je vous attendais. Je m'appelle Paolo... Tenez, c'est pour vous. »

Il lui tendit son bouquet de roses au papier chiffonné par une trop longue attente.

« Merci, c'est gentil. Où allons-nous ?

– Je... je... je ne sais pas. Chez vous ? Ah ! tenez, j'oubliais », dit-il en sortant de sa poche une liasse de billets.

Nathalie eut un mouvement d'humeur.

« Oh ! non, pas ici.

– Pas ici ? Ah ! bon... Vous connaissez Rome ?

– Pas trop mal. Où est votre voiture ?

– Ma voiture ? J'ai beaucoup mieux... une moto.

– Une moto ? »

Un peu étonnée, elle suivit Paolo jusqu'à une moto superbement astiquée. Haussant les épaules, elle remonta sa jupe étroite, laissant apparaître l'attache de ses bas. Paolo enfourcha la machine et, se tournant vers sa passagere, demanda à nouveau :

« Où allons-nous ?

– Allons chez moi, au Hilton. »

Très fier d'avoir une aussi jolie fille accrochée à sa taille, Paolo la promena à travers la Rome antique, puis se dirigea vers la banlieue. Ils traversèrent un petit bois où de chaque côté de la route des prostituées attendaient leurs clients. En passant, Paolo fit un signe de la main.

« Ben ça, alors, fit Giorgina, il pourrait s'arrêter. »

La moto s'éloigna, croisant la Lancia de Marco.

Jamais Paolo n'avait mis les pieds dans un endroit pareil. Il regardait autour de lui avec une admiration qu'il ne cherchait pas à dissimuler. Son casque de motard sous le bras et le bouquet de roses défraîchies qu'il tenait à la main faisaient sourire les employés du Hilton, pourtant blasés sur les tenues, les attitudes et les propos de leurs clients. Nathalie prit sa clef des mains du concierge et se dirigea vers les ascenseurs, suivie de Paolo. L'appartement lui fit l'effet d'un palais.

« C'est votre chambre ?

– Non, c'est le salon de ma suite.

– Ah ! votre suite, dit Paolo sans comprendre.

– Mettez-vous à l'aise, je reviens. »

Resté seul, il posa avec précaution son casque sur une commode surchargée de dorures qu'il jugea du meilleur effet. Il sortit sa liasse de billets et la posa bien en évidence sur un petit secrétaire à côté des roses. Satisfait, il s'assit sur le bord d'une chaise.

Nathalie revint dans un déshabillé de mousseline noire bordé de duvet de cygne, une bouteille de champagne et deux verres à la main.

« Si nous prenions un verre ? Tenez, débouchez la bouteille ! »

Paolo prit la bouteille et lui montra les billets. Elle ouvrit le tiroir du secrétaire et les fit glisser à l'intérieur.

« Vous ne comptez pas ?

– J'ai confiance. Maintenant, ouvrez cette bouteille ! »

Maladroit, il renversa du champagne en le versant.

« A nos amours, Paolo ! »

Ils trinquèrent et burent en silence.

« Venez près de moi. Asseyez-vous. Je vous fais peur ? Voulez-vous de la musique ? »

Sans attendre sa réponse, elle appuya sur la touche de la radio. Le *Sacre du printemps* envahit la pièce.

« Vous aimez ? »

Paolo fit une moue qui ne laissait aucun doute sur ses goûts musicaux. Nathalie appuya sur une autre touche. La voix sirupeuse d'un chanteur italien à la mode remplaça Stravinsky.

« C'est mieux, non ? » dit Nathalie en embrassant Paolo, qui se laissa faire sans la moindre réaction. « Je ne vous plais pas ?

– Oh ! si... mais c'est tout ça », dit-il en montrant d'un geste circulaire ce qui l'entourait.

« Venez, allons dans la chambre !

– Dans la chambre ? Ah ! oui... »

Il ne vit que le lit et se frotta les mains avec satisfaction. Câline, Nathalie entreprit de le déshabiller. Il la prit dans ses bras et l'embrassa avec une fougue retrouvée.

« Que tu es belle ! Que tu sens bon ! »

Elle acheva de le dévêtir.

« Tu n'es pas mal non plus. »

Elle l'entraîna vers le lit, où ils tombèrent avec des rires. Ses lèvres parcouraient le grand corps brun et musclé de Paolo, qui se laissait faire, se demandant s'il ne rêvait pas, si c'était bien lui qui était dans cette chambre tendue de soie aux murs ornés de tableaux dans leur cadre doré, sur ce lit recouvert de fourrures, avec une fille plus belle qu'il ne l'avait imaginée. La chambre rose de Luciana lui paraissait bien loin et bien ordinaire. Il repoussa la tête de Nathalie et s'allongea sur elle.

« Allons, ce n'est rien, ça arrive à tous les hommes.

– Je m'en fous ! Moi, c'est la première fois. Dans toutes les villes, dans tous les pays où je passe, elles s'en souviennent, les filles, de Paolo et de son camion. »

Nathalie réprima un sourire moqueur, tant Paolo avait l'air d'un gamin malheureux qui ne comprend pas ce qui lui arrive.

« Ce n'est pas grave, calme-toi.

– Me calmer ! Mais je ne veux pas me calmer ! C'est de la faute à cet endroit. Ça m'intimide, c'est trop chic, ça me fait débander.

– Allons ailleurs, si tu veux. Pourquoi tu ne m'emmènerais pas dans ton camion ? »

Incrédule, Paolo la regarda avec un air de doute.

« C'est vrai ? Tu voudrais bien ?

– Mais oui, pourquoi pas ? Ça me changerait.

– Allez, on y va ! »

Nathalie sauta du lit.

« Une minute et je suis prête. »

Paolo se leva d'un bond en poussant une sorte de cri de guerre, oubliant son fiasco. Il saisit la bouteille de champagne et but au goulot le liquide devenu tiède. Un peu de mousse coula sur son menton. Il s'habilla en chantonnant. Nathalie revint, vêtue d'un jean extrêmement moulant, d'un tee-shirt et d'un blouson de cuir fauve.

« Ah! non, tu ne vas pas restée habillée comme ça! J'aime pouvoir mettre la main... Oh! pardon, c'est pas ce que je voulais dire...

– Mais tu l'as dit. »

Quand elle revint dans une robe souple, boutonnée sur le devant, il s'exclama, approbateur :

« A la bonne heure! C'est plus joli et c'est bien plus pratique. »

La nuit tombait doucement sur la campagne italienne. Dans la cabine du camion, Nathalie semblait dormir. Sa jupe, remontée, découvrait largement le haut de ses bas. Emu, Paolo, tout en conduisant, jetait de fréquents coups d'œil sur les belles cuisses ainsi offertes. Il remonta plus haut le léger tissu. Les jarretelles noires tranchaient sur la peau blanche, la dentelle de la culotte apparut. Paolo sentit son sexe se dresser. Il ralentit et déboutonna le haut de la robe. Les trépidations du camion firent tressauter les seins de sa passagère, qui gémit doucement. Le lourd camion quitta la route et s'arrêta sur un terre-plein aménagé en parc de stationnement. Le silence succéda au bruit du moteur. Paolo acheva de déboutonner la robe et resta un long moment à contempler la belle endormie. Les phares des voitures qui passaient sur la route éclairaient par intervalles la nudité de Nathalie, lui donnant quelque chose d'irréel. Il prit entre ses lèvres la pointe des seins de la jeune femme qui gémit à nouveau. Il l'attira contre lui, lui baisant les yeux, les lèvres, le cou.

« J'ai envie de toi. »

Elle ouvrit ses yeux d'un bleu très pâle et murmura :

« Moi aussi. »

Malgré l'étroitesse de la cabine, il réussit à se dévêtir rapidement. Il aida Nathalie à se glisser sur la couchette aménagée derrière les sièges. Son sexe durci lui faisait mal. Il la souleva, l'assit à califourchon sur ses cuisses et la pénétra avec une douce facilité. Il resta un long moment en elle sans bouger, savourant enfin sa possession. Alors, sûr de lui, il lui fit l'amour. Quand elle cria en se renversant en arrière, à son tour, il fut heureux.

Longtemps, la buée qui couvrait les vitres les isola du reste du monde.

« J'ai faim », dit Nathalie en finissant de boutonner sa robe.

« Je connais un endroit pas très loin d'ici qui doit être encore ouvert.

– Allons-y !

– Tu sais, ça ne ressemble pas à tes palaces !

– Ça m'est égal, dit-elle en l'embrassant, j'ai faim. »

Paolo fit démarrer le camion en fredonnant. Nathalie se blottit contre lui et regarda défiler les arbres de chaque côté de la route. Bientôt le lourd véhicule s'engagea sur une route secondaire.

Comme à chaque fois, la chaleur, les odeurs, les bruits les assaillirent dès qu'ils eurent poussé la porte du restaurant.

« Alors, Mila, ça vient ces spaghetti ?

– Une bouteille de chianti, c'est ma tournée.

– Trois buts, qu'on leur a mis, trois !

– Eh ! Luciana, regarde qui vient d'entrer...

– Oh ! Paolo, tu t'es trompé de film !

– Salut, les mecs.

– Ben, mon salaud, tu t'embêtes pas !

– Paolo, t'as l'air fatigué, tu veux qu'on te remplace ? »

Paolo traversa la salle, tenant Nathalie par la main. A son comptoir, essuyant nerveusement un verre, Luciana les regardait venir.

« Salut, Luciana, je te présente une amie, Nathalie. »

Sans lâcher son verre, Luciana inclina la tête.

« Bonjour, mademoiselle.

– Bonjour, madame.

– Pas de madame ici, elle, c'est Luciana.

– Bonjour, Luciana. On a très faim, on peut encore dîner ?

– Allez là-bas à la table de Giuseppe, c'est le meilleur ami de Paolo. Là-bas... le grand garçon qui fait des signes.

– Pas mal, ton ami. Ils sont tous comme ça, tes copains ?

– Presque tous, va, je te rejoins. »

Nathalie se dirigea vers la table indiquée sous les regards et les commentaires égrillards des routiers attablés.

« Restez avec nous, mademoiselle ! Il vaut rien ce gars-là.

– Faites attention à la belle Luciana, c'est une tigresse cette femme-là ! »

Giuseppe se leva, houspillant ses camarades.

« Tenez-vous tranquilles. Un peu de tenue, il y a une dame. Asseyez-vous, ils gueulent mais ils ne sont pas méchants.

– Ils ne me font pas peur », dit-elle en s'asseyant.

Tout en continuant à essuyer son verre, Luciana ne quittait pas des yeux la jolie blonde. Son regard revint à Paolo, qui arborait un air de mâle satisfait.

« Alors, t'es content ? Tu as eu ce que tu voulais ? Entre nous, ça fait vraiment mieux l'amour que nous, ces filles-là ? »

Paolo l'attira à lui et lui murmura quelque chose à l'oreille. Luciana rit très haut en regardant Nathalie.

« Allez, va t'asseoir, ta belle te fait signe.

– Ton ami est charmant », dit Nathalie en caressant la main de Giuseppe tandis que Paolo s'asseyait auprès d'elle.

Mila posa des spaghetti devant eux et ils plongèrent le nez dans leur assiette.

« Hein, j'avais raison, y a pas de meilleur garçon que Giuseppe. Et avec ça, tendre avec les dames ! » dit Paolo, la bouche pleine.

« Arrête de charrier ! C'est un vrai copain, on est comme des frères. On partage tout », ajouta Giuseppe en rougissant, pendant que la main de Nathalie, puis son pied sous la table, se faisaient pressants sous l'œil amusé et satisfait de Paolo. Celui-ci se pencha vers elle et lui dit à mi-voix :

« Il te plaît, mon copain ?

– Oui, assez.

– J' suis pas jaloux, tu sais. Si tu veux monter avec lui, il y a une petite chambre là-haut... »

Les yeux de Giuseppe allaient de l'un à l'autre , essayant de comprendre s'il s'agissait d'une plaisanterie.

« Je vous plais ? lui demanda Nathalie, provocante.

– Oh ! oui...

– Eh bien, venez ! »

Elle se leva, suivie d'un Giuseppe triomphant. Sous les regards envieux des hommes devenus tout d'un coup silencieux, Nathalie retraversa la salle et commença à monter l'escalier. A mi-chemin elle s'arrêta et, se tournant vers la salle dans une pose aguichante, elle dit d'une voix un peu rauque :

« Qui m'aime me suive ! »

En hurlant, les hommes se levèrent et se précipitèrent à sa suite, se bousculant dans l'étroit escalier. Bientôt, il ne resta plus que Luciana et Paolo, serrés l'un contre l'autre.

« Elle était très belle. Tu ne regrettes rien ?

– Non, elle m'a fait comprendre une chose...

– Quoi ?

– Que je t'avais dans la peau. Allez, viens... »

Ils sortirent de la salle désertée et se dirigèrent en courant vers le camion.

Les amants de la Forêt-Noire

... Et on dansera la carmagnole; on
leur brûlera les roubignoles, avec
[toutes leurs bagnoles.
Et on leur en mettra plein la
[gueule par la même occasion...

NICOLE BLEY, *Lâche ton cul, camarade.*

A L'APPROCHE de la tombée de la nuit, Carole et Barbara retournaient lentement vers la maison. Une journée passée à nager, à canoter, sur le lac aux eaux froides, à cueillir les dernières mûres de l'été dans la forêt étreignant la propriété, les avait laissées heureusement lasses, presque silencieuses, leurs légères sandales devenues lourdes. Carole s'accrocha au bras de Barbara.

« Quelle tristesse de rentrer à Paris ! On est si bien ici. J'aime tellement ce pays avec toi... ton pays. Il te va si bien. C'est toi la Lorelei, la sirène du Rhin, la fée de la forêt... » chantonna-t-elle.

Barbara se dégagea et tenta de la faire taire.

« Laisse... tu es si belle, si blonde, si douce. Auprès de toi, toutes les femmes ont l'air de laiderons; tu es LA FEMME, tu es faite pour être adorée. Le monde devrait être à genoux devant ta beauté... Nul homme n'est digne de t'approcher, de baiser ton front, de toucher ta main... Nul sacrifice, même humain, n'est trop beau pour toi. Je tuerais celui qui oserait, je le... »

Barbara lui ferma la bouche d'un baiser.

« Tais-toi, petite folle ! »

Carole frotta son corps contre celui de Barbara en murmurant des mots insensés. C'est vrai qu'elle était belle, Barbara, d'une beauté irréelle, de celle dont les enfants parent les princesses de contes de fées. Comme elles, on la sentait intouchable, comme protégée : un destin exceptionnel inscrit de tout temps dans les astres. Elle semblait promise à tous les bonheurs, à toutes les réussites. Sa beauté était tellement indiscutable qu'elle n'éveillait même pas la jalousie féminine, elle était au-delà. Quant aux hommes, passé le premier moment de stupeur admirative, ils passaient à l'attaque, mais, très vite, adoptaient une attitude plus réservée, comme si tant de beauté leur faisait peur. Cela arrangeait bien Barbara, qui n'éprouvait pour les hommes qu'un goût modéré. Pour le moment, elle était très amoureuse de la petite Carole, charmante brune aux yeux bleus dont le corps ravissant se pliait à tous ses caprices. Trop, peut-être. Carole lui vouait un amour exclusif et jaloux qui quelquefois l'inquiétait.

Il fallait rentrer, retrouver cette ville si belle, mais si hostile, reprendre le dur métier de cover-girl, les voyages, les photographes exigeants, les couturiers piapiatant et piaffant, toujours au bord de la dépression des créateurs. Qu'elle aimerait passer un hiver ici, comme avant! Avant... Elle se revit enfant, si blonde, si fragile, sa petite main enfermée dans celle de son père, un homme très grand, très beau, très séduisant, le seul homme qu'elle eût aimé et admiré jusqu'au jour, où... Elle était folle de repenser à cette scène sauvage qui lui avait montré son père sous un jour insoupçonné. Cette haine tout d'un coup, ces injures crachées par une bouche déformée, ces poings levés, ce fouet s'enroulant autour de ses épaules, ces pieds bottés qui la frappaient méchamment, tandis qu'elle tendait ses mains vers lui, le suppliant de l'écouter... Il avait refusé de l'entendre et l'avait chassée, sans un sou, sans un vêtement de rechange, en lui criant :

« Sois maudite! Tu n'es pas digne du peuple allemand! »

Une amie de sa mère l'avait recueillie et soignée.

Peu après, elle arriva à Paris, où elle apprit la mort de ce père tant aimé.

Une cloche sonna.

« Dépêchons-nous... Nous ne serons pas prêtes pour le dîner.

– Tu as raison. Courons. J'ai une faim de loup. »

Carole détala. Barbara la suivit plus lentement, comme à regret, voulant savourer cette dernière soirée, ce moment fragile de la fin du jour. C'était ce qui lui manquait le plus, à Paris, New York, Londres ou Tokyo, ce calme et ces parfums de la nuit proche, quand la forêt semble vouloir absorber le jardin, la maison. Enfant, cette immense masse sombre lui faisait peur, elle l'imaginait peuplée de bêtes maléfiques, de brigands dangereux, de génies malfaisants. Quand, après la mort de son père, elle était venue prendre possession de son héritage, elle avait pensé un moment à se défaire de cette trop grande maison isolée. Mais tant de souvenirs y étaient attachés. Elle l'avait donc gardée et s'en réjouissait à chacun de ses séjours.

Carole lui faisait de grands signes, debout sur le perron. Barbara courut vers elle.

Marlène, la grosse cuisinière, s'était surpassée; les perdreaux étaient cuits à point, les purées de céleri, de carottes et d'épinards d'une étonnante légèreté et les confitures de fruits rouges exquises comme toujours. Pour le dessert, connaissant la gourmandise de Carole, elle avait été magnifique : une mousse au chocolat, amère comme il faut, une tarte aux abricots et un sorbet aux pêches. Barbara riait de la goinfrerie de son amie, barbouillée comme une gamine de trois ans.

« Que c'est bon ! Tu n'en reprends pas ? Je peux la finir ? »

Marlène vint aux compliments, que les deux jeunes femmes ne lui mesurèrent pas.

« Puis-je partir, mademoiselle ? C'est aujourd'hui que je dois aller garder le bébé de ma fille.

– C'est vrai, j'avais oublié... vous pensez rentrer vers quelle heure ?

– Je ne rentrerai que demain. Ma fille et son mari sont absents toute la nuit. Mais que mademoiselle ne s'inquiète pas, j'ai fermé toutes les portes et toutes les fenêtres. Et puis, le pavillon du jardinier n'est pas bien loin.

– A demain, Marlène, et bravo encore pour votre dîner !

– Hum... oui... c'était très bon ! » parvint à articuler Carole, la bouche pleine.

Barbara se leva, s'approcha de la cheminée où flambait un feu bien agréable par cette soirée d'automne. Avec les pincettes, elle prit une brindille enflammée et alluma un mince cigare. Le chien Samy leva sa bonne tête et remua la queue, engourdi par la chaleur du foyer. Dehors, la nuit était tombée, très noire.

« Je reprendrais bien un peu de champagne », dit Carole en se levant et en tendant le verre à son amie.

Barbara la servit et se servit ensuite. Elles s'installèrent sur l'immense canapé, devant la cheminée, et burent en silence. On n'entendait que le crépitement des flammes et les soupirs du chien. Dehors, le vent se leva. Barbara allongea le bras. Une musique barbare remplaça le silence, dérangeant le sommeil de Samy.

La musique avait chassé le douillet bien-être de l'après-dîner. Les flammes elles-mêmes semblèrent plus nerveuses. Puis ce fut à nouveau le silence. Barbara le rompit la première :

« Je ne peux vraiment écouter Wagner qu'ici... Seule l'Allemagne pouvait donner naissance à une telle musique, païenne et cependant divine, sensuelle jusqu'à l'impudeur et cependant si pure...

– Eh bien, moi, je n'aime pas ton Wagner. Il me fait peur. Il est trop allemand.

– Tais-toi, on est si bien. »

Dehors, le vent souffla en tempête.

« Viens contre moi, mon bébé ! Que tu es belle ! Que je t'aime ! Un jour tu rencontreras un homme, tu m'oublieras...

– Jamais, Barbara, jamais ! C'est toi que j'aime. C'est avec toi que je veux vivre. Les autres hommes sont des brutes. Pourquoi dis-tu ça, pourquoi ? Je te... »

Carole ne put achever, elle éclata en sanglots comme une enfant. Barbara la prit dans ses bras et la berça doucement.

« Là... Là... Ne pleure pas, mon petit ! Je suis une sotte, pardonne-moi, je ne voulais pas te faire de la peine. Je t'aime tant. Je suis jalouse.

– Alors, embrasse-moi pour te faire pardonner... Tu sais bien que je n'aime que toi, que je pourrais mourir pour toi !

– Tais-toi, petite sotte, tais-toi... »

On n'entendit plus que le bruit du feu et celui des baisers. Le chien dressa une oreille.

« Elles s'embêtent pas, les garces !

– Les salopes. Faire ça sans nous !

– On va aller leur donner un coup de main à ces mignonnes.

– Qu'elles sont belles, les putes ! On va pas s'ennuyer...

– Allez, les gars, assez causé... On y va ! »

La porte-fenêtre vola en éclats. Avec les cinq hommes pénétra l'odeur de la forêt.

Les filles se levèrent en criant.

Le chien bondit.

Un des hommes, vêtu comme ses compagnons d'un blouson de cuir noir patiné, d'un pantalon de cuir enfermé dans de hautes bottes aux agrafes d'acier bruni, sortit un couteau et l'enfonça dans la gorge du chien qui bondissait sur lui. Le formidable grognement de la bête en colère s'acheva en un lamentable gargouillis. L'animal tomba en griffant l'air de ses pattes déjà mortes.

« Sale bête! Elle m'aurait mordu! » dit l'homme en repoussant d'un grand coup de pied le cadavre chaud et encore frémissant.

« Non! » Carole se précipita, poings en avant sur le meurtrier du pauvre Samy. « Salaud! Salaud! Pourquoi avez-vous fait ça?

– Dis donc, Frantz, tu vas pas te laisser faire par une gonzesse?

– T'en fais pas, Peter, les filles, ça me connaît. »

En riant, Frantz maintenait dans une seule main les poignets de Carole; les fines bretelles de sa robe avaient cédé, découvrant ses seins bronzés. Elle réussit à se dégager et se précipita dans les bras de Barbara, qui la serra contre elle.

Depuis l'irruption des cinq hommes, Barbara n'avait pas bougé. Non qu'elle eût peur, c'était plutôt un mélange d'agacement et de curiosité qu'elle éprouvait. Elle s'adressa à eux d'une voix calme :

« Cela suffit... Partez! »

Un énorme éclat de rire salua cette demande.

« Pour qui elle se prend, la môme?

– On n'est plus des gamins... On fait ce qu'on veut!

– Moi, j' trouve qu'elle parle trop. Pas toi, Eric? »

Un grand blond, au visage pâle abîmé de traces d'acné, les yeux si clairs qu'ils paraissaient vides, le front marqué d'une vilaine cicatrice, le blouson noir ouvert sur un torse maigre et blafard souligné par une lourde chaîne portant un insigne qui ressemblait à la Toison d'Or, rejeta en arrière une casquette de marin où cliquetaient toutes sortes de médailles et, les pouces enfoncés dans son pantalon moulant, laissa tomber, définitif :

« Les femmes, ça parle toujours trop...

– Ça, c'est bien vrai, mec!

– Même pas hospitalières. Elles pourraient nous offrir à boire, c'est pas des façons. Ah! messieurs, la bonne éducation se perd...

– On va pas attendre leur permission, pas vrai, les gars? Peter, tu peux voir ce qu'il y a à boire dans la baraque? »

Peter sortit en sifflotant.

Un pesant silence suivit son départ. Très vite, il fut de retour, les bras chargés de bouteilles de champagne. Ses camarades l'acclamèrent.

« Bravo, Pedro, t'as pas ton pareil pour dégoter les bonnes choses!

– Eh bien, elles risquaient pas de mourir de soif, les putes.

– Messieurs, un peu de tenue! Nous allons boire à la santé de nos hôtesses, n'est-ce pas, mignonnes, que vous allez trinquer avec nous? »

Peter apporta des verres, Frantz, très joli garçon aux cheveux bruns bouclés, à la moue tour à tour enfantine et veule, fit le service en roulant des hanches.

« Tenez, cher ami, vous prendrez bien un verre?

– Vous êtes trop bonne!

– Oh! excusez-moi, que je suis maladroite... »

Le champagne coula le long des seins de Carole.

« Laissez-moi vous aider... »

Frantz s'apprêta à lécher le liquide sur la peau

nue, mais une gifle magistrale le rejeta en arrière...

« Garce! »

Eric le retint.

« Calme-toi! Nous avons tout le temps... Buvons tranquillement. L'endroit est beau, il fait chaud, le champagne est bien frappé, les filles sont belles... que demander de plus à la vie? Vois-tu, petit, il faut savoir prendre son temps. Tout est dans la lenteur. Buvons à... à quoi? Buvons à l'amour!

– A l'amour! reprirent en chœur les cinq hommes...

– Vous ne buvez pas, mesdames? Buvez! BUVEZ! Je n'aime pas répéter les choses. BUVEZ!

– Carole, il ne faut pas contrarier ces messieurs. Buvons. »

Calmement, Barbara vida son verre. Son amie, maintenant sa robe contre elle, l'imita avec réticence. Dehors, le vent souffla en rafales.

Ils vidèrent sans parler plusieurs verres. Leurs yeux étaient plus brillants, leurs mouvements plus lourds. Eric se leva, attrapa Carole par un bras et l'attira contre lui.

« Viens boire à ma santé, petite! »

La maintenant contre lui, il la força à boire. Le champagne coula le long du cou de Carole.

« Petite dégoûtante! On ne sait pas boire proprement? Frantz, tu viens la nettoyer?

– Laissez-moi! Bande de salauds! Laissez-moi!

– Eric? On dirait qu'elle ne veut pas.

– Tu crois? T'inquiète pas, je vais t'arranger ça... »

Une grande gifle assomma à moitié la pauvre Carole. Eric profita de son étourdissement pour l'allonger sur la table en repoussant les reliefs du dîner. Intéressés, les trois autres hommes s'approchèrent, emmenant avec eux Barbara qui n'opposa aucune résistance. Bon camarade, Peter proposa ses services pour immobiliser la fille.

« Vas-y, Frantz... On te la tient. »

Sans se presser, Frantz versa sur le buste dénudé un verre de champagne et lapa le liquide à petits coups. La pointe des seins de Carole se dressa.

« Regarde, Wilfrid, elle aime ça, la salope ! »

L'insulte lui donna des forces, elle échappa aux mains de Peter. Son mouvement fut stoppé par la pointe d'un couteau.

« J'aime pas qu'on me dérange quand je bois... Bouge plus, petite, sinon je te saigne... »

Une petite goutte de sang apparut sous la pointe du couteau.

« Laissez-la ! Prenez l'argent, prenez les bijoux, mais laissez-la !

– Elle nous croit mercantiles ! Et l'amour, que fais-tu de l'amour ?

– Pour le fric, t'inquiète pas... On le prendra après », ricana Eric.

Posément, avec son couteau, Frantz fendit la robe de Carole. Elle était nue à l'exception d'un minuscule slip de dentelle blanche qui, comme la robe, fut coupé avec le couteau. Sans se départir de son calme, il fit glisser la fermeture de son pantalon de cuir, attira à lui les hanches de Carole et la pénétra avec lenteur. Carole tenta d'échapper au sexe qui la fouillait, mais la pointe du couteau, qui s'enfonçait dans son sein, eut raison de sa résistence. Le visage inondé de larmes, elle secouait la tête de droite à gauche.

Barbara, immobile, regardait son amie se faire violer. Rien ne bougeait dans son beau visage, rien, sauf une larme qui glissa lentement et se perdit dans le pli de sa bouche. Après un grognement, Frantz se redressa, Wilfrid prit sa place. Carole eut un mouvement de recul et de dégoût. Oh! non, pas celui-là... cette espèce de géant albinos à la bouche pourrie, au visage déformé par la boxe ou un accident, Wilfrid avait l'air d'une brute demeurée. De son énorme patte, il la rallongea sur la table et s'enfonça en elle avec un « han » de lutteur. Carole cria. Les hommes rirent.

« Ah! Wilfrid, c'est pas un mâle pour les pucelles!

– Fais un effort, petite! Une queue comme ça, ça compte, dans la vie d'une femme!

– J 'suis sûr qu' c'est la plus grosse d'Allemagne.

– Ça compense sa petite tête!

– Allez, camarade, encore un effort! »

Ainsi encouragé, Wilfrid réussit à forcer le ventre brûlant. Carole hurla. Quand il se retira, son sexe était teinté de sang.

« Petite nature... »

Souillée, une main sur son sexe endolori, Carole gémissait. Eric la souleva par les cheveux et la retourna.

« Oh! le beau cul! C'est comme ça que je les aime... bien ronds, bien serrés. Pas souvent servi celui-là... »

Le gardien de Barbara, grand garçon roux, silencieux, sentit le corps de sa prisonnière se raidir contre lui.

« Allons, ne bouge pas. Tu vas voir comme elle va aimer ça ta copine ! Ça va la changer de vos habitudes de gougnottes. »

Le pantalon de cuir s'arrêta à mi-mollets.

« J'y arriverai jamais, elle est trop serrée, la garce. Toi, viens me sucer ! Amène-la, Rodolphe ! »

Barbara s'avança d'elle-même, le regard fixe. Elle s'agenouilla devant Eric et prit le sexe tendu dans sa bouche.

« Ça suffit ! Tu vas me faire jouir... c'est dans l' cul de ta bonne amie que je veux jouir. T'as rien contre, j'espère ! »

D'une brusque poussée, il pénétra les reins de Carole, qui se redressa en hurlant. Il la rabattit sur la table d'un geste brutal et saisit les longs cheveux blonds de Barbara, qui était restée à genoux.

« Regarde bien, regarde bien... Je la défonce, ta pute. Regarde... c'est pas beau une bite qui encule ? Ahhh... »

Il lâcha les cheveux de Barbara et s'écroula, agité de soubresauts, sur le corps immobile.

Le vent s'engouffra par la fenêtre défoncée, faisant voler les cheveux de Barbara. Puis ce fut au tour de Rodolphe. Il dégageait une odeur insupportable, faite de crasse, de relents particuliers à certains rouquins. Il souleva Carole et la fit glisser sur le sol ; elle s'effondra à ses pieds comme une poupée de chiffon. Barbara s'avança vers elle, lui prit la tête et la serra contre elle sans rien dire. Comme à regret, Carole ouvrit les yeux et, voyant son amie penchée sur elle, tenta de sourire.

« Ils sont partis ? » demanda-t-elle d'une petite voix craintive.

Un gros rire lui répondit.

« Pousse-toi de là, grognasse ! » dit Rodolphe en repoussant Barbara, dont la tête rebondit contre le marbre de la cheminée. Elle sombra dans un éclair noir.

« Barbara ! »

Le hurlement dément de Carole fit sursauter les brutes.

Carole se traîna, s'allongea sur le corps inanimé, couvrant le beau visage aux yeux clos de baisers.

« Barbara, réponds-moi ! Je t'en prie, réponds-moi, réponds-moi ! Ah... »

Barbara bougea, ouvrit les yeux en faisant une grimace de douleur et tenta de se relever.

« Ce n'est rien, petit. N'aie pas peur. Ce n'est rien... »

Elle se mit debout, chancelante et vida le contenu d'un verre de champagne.

« Bon, assez rigolé maintenant, les filles ! J' sais plus où j'en étais. J'aime pas être dérangé quand j'ai envie de baiser... »

D'un coup de pied, il fit retomber Carole.

« Non ! Laissez-moi... »

Elle rampa vers Barbara; Rodolphe l'attrapa par un pied et la traîna à travers la pièce.

« Tu veux pas baiser ? Très bien... »

Il sortit son sexe de son pantalon et souleva la malheureuse par les cheveux.

« Suce ! »

Carole tenta de détourner la tête. Il tira plus fort, balaya de son sexe mou le visage ravagé.

« Suce, salope ! »

Sous la douleur, les lèvres de la fille s'entrouvrirent. Le phallus minable força la bouche, une nausée le rejeta.

« Ah ! t'aime pas ma queue, mon foutre te dégoûte ! Tu préfères ça... »

Il urina sur elle au milieu des rires et des bravos de ses camarades.

« De toute façon, j'aime pas les filles, ça pue », ajouta-t-il en se rajustant.

Recroquevillée dans un coin, Carole vomissait. Ils burent encore en chantant des hymnes nazis. Dehors, la tempête était telle qu'elle faisait trembler la maison.

« Sale temps... On est mieux ici. Remets des bûches, commence à faire frisquet. »

Avec des serviettes de table, Barbara essuya le visage et le corps de son amie. Elles se tenaient maintenant serrées l'une contre l'autre sur le canapé, attendant la fin de ce cauchemar, sachant que toute fuite leur était interdite. Intouchée, Barbara avait une attitude hautaine.

Peter se leva et s'approcha des deux filles.

« Maintenant, on va s'occuper de l'autre, la fière... »

Rodolphe l'attrapa par les cheveux. Une manie, pensa Barbara. Machinalement, elle sourit, malgré la douleur de son crâne endolori.

« Tu vas pas sourire longtemps. Allez, les gars, foutez-moi cette gonzesse à poil ! »

Carole s'agrippa à Barbara.

« Non ! pas elle... Laissez-la... Prenez-moi... Je

ferai tout ce que vous voudrez ! Pas elle ! Pas elle ! Je vous en prie...

– Vas-tu la lâcher, connasse ! Tu n'as pas ton compte ? »

Les cris de Carole se transformèrent en hurlements :

« Barbara ! Non... Laissez-la ! Mon amour, je ne veux pas... »

Elle mordit la main de Rodolphe, qui lui écrasa son poing sur la figure. Un craquement rougeoyant éclata dans sa tête. Elle s'effondra, son nez, ses lèvres, sa poitrine se couvrirent de sang.

« Ça t'apprendra, bourrique ! »

Wilfrid se dressa de toute sa masse devant Barbara pour l'empêcher de rejoindre la blessée; elle feinta.

« Mon petit... mon tout petit.

– J'ai peur... j'ai si peur ! Je ne veux pas qu'ils te fassent du mal, Barbara ! » parvint à articuler Carole avant de s'évanouir.

Barbara eut un sourire las et résigné.

« Ne crains rien... Cela sera bientôt fini. »

Ils la relevèrent, arrachèrent la robe de soie.

« Putain, qu'elle est belle ! » murmura Peter comme pour lui-même, rompant le silence admiratif où les avait plongés la beauté de leur victime.

Barbara n'eut pas un geste pour se dissimuler. Elle se savait belle et provocante dans sa seminudité. La blancheur de sa peau était rehaussée par un mince porte-jarretelles et une fine culotte de dentelle noire; des bois noirs également soulignaient la longueur de ses jambes. Ses seins haut placés étaient nus.

« Et on voulait nous cacher tout ça? »

Rodolphe lui griffa méchamment la poitrine. Elle détourna la tête sans rien dire.

« Courageuse? On va voir... », dit-il en sortant son couteau.

Un grand cri suspendit son geste :

« Non! Arrêtez... »

Carole, effrayante à voir, le visage gonflé, barbouillé de sang, le regardait avec des yeux fous.

« J' la croyais morte... faites-la taire! On peut pas être tranquille... »

Une baffe nonchalante d'un des hommes la fit retomber.

Lentement, en artiste, Rodolphe promena la lame sur les seins de Barbara. Un peu de sang apparut.

« Ne l'abîme pas trop. Laisse-nous nous amuser avant. Déshabille-toi! Fais-nous un beau strip-tease... »

Carole réussit à se lever et enlaça Barbara.

« Ne le fais pas... Ne fais pas ça... Non, arrête! »

Barbara la repoussa doucement, un étrange sourire aux lèvres. Dehors, le vent souffla de plus belle, arrachant les tuiles et les branches. Lentement, elle retira le premier bas dans un silence attentif. Le second bas retomba mollement à ses pieds, puis le porte-jarretelles. Dans un coin, les bras noués autour de ses genoux repliés contre sa poitrine, Carole se balançait d'avant en arrière, le regard fixe, en chantonnant :

« Non, non... non-non-non... non, non... non-non-non... »

Barbara se retourna, fit glisser son ultime vêtement et lentement se retourna.

Un « oh » de stupeur sortit de la bouche des cinq hommes, suivi d'un silence de mort.

« Un mec ! C'est un mec !

– Le salaud...

– Dites-moi que je rêve !

– Il nous a bien eus, la salope...

– Un travelo... j' vais m' faire un travelo ! J' peux pas les blairer ces types-là... Tu vas voir... j' vais en faire une fille de cette ordure ! »

Peter, l'écume aux lèvres, bondit sur Barbara, qui ne bougea pas.

« Je m'y attendais. J'ai toujours su que ça finirait comme ça », pensa-t-elle.

« Pas mal imité, murmura Frantz, admiratif. J'ai failli m'y laisser prendre...

– J' me disais bien que, pour une nana, elle manquait pas de couilles, dit Eric respectueusement.

– A qui se fier, ma chère, à qui se fier...

– Faut quand même être tordu pour jouer les gonzesses !

– J' la trouve pas si parfaite que ça, pour une gonzesse. Elle a quelque chose en trop vous trouvez pas les copains ? Il suffirait de presque rien pour en faire une belle pute », ajouta Peter, songeur.

Dans un coin, Carole se mit à hurler comme une bête.

« Non ! pas ça ! Laissez-la... Tuez-moi ! Tuez-moi ! »

Carole se traîna jusqu'à Peter et s'accrocha à ses jambes.

« Y a pas à dire, c'est une amoureuse, cette fille... Elle en pince vachement pour son mec! C'est pas croyable.

– Un mec, ça? Plus pour longtemps. Tu vas arranger ça...

– NON!

– Faites-la taire. En douceur. Je veux qu'elle ne perde rien du spectacle... »

Posément, Peter commença à lacérer la poitrine, puis le ventre de Barbara, qui se couvrirent rapidement d'un voile de sang. Tout en regardant le supplice, les hommes continuèrent à boire, apportant de temps à autre un verre au bourreau. L'étrange sourire de leur victime commençait à les agacer.

Carole avait repris son balancement, les yeux grands ouverts.

« Regarde bien, petite! Je vais en faire vraiment une fille. »

Il y eut un grand geste du bras, un cri de douleur insupportable et un bruit inhumain qui se termina par un drôle de rire. Dehors, la tempête atteignit son paroxysme.

Jusqu'à l'aube les cinq hommes s'acharnèrent sur le corps de Barbara, buvant et violant à nouveau Carole.

« Il n'y a plus rien à boire, les gars. On s' tire? »

Frantz montra Carole souriante, qui chantonnait une berceuse en serrant la tête de Barbara contre elle.

« Qu'est-ce qu'on fait de celle-là ? On la bute ?

– Pas la peine. Elle est dingue... »

Le jour qui se levait promettait d'être beau. Les cinq hommes s'éloignèrent en se donnant d'affectueuses bourrades à travers la brume matinale.

La voie aux chapitres

Ce livre, essentiellement inutile et absolument innocent, n'a pas été fait dans un autre but que de me divertir et d'exercer mon goût passionné de l'obstacle.

CHARLES BAUDELAIRE, projet de préface pour une nouvelle édition des *Fleurs du mal.*

BOULEVARD Maillot, cinq heures.

Jeans râpés, tennis au bord de la dentelle, le garçon traversa la chaussée d'un pas élastique et grimpa dans une estafette bleue commerciale qu'il dégagea du créneau, direction de Paris. Quatre étages plus haut, Francesca fulminait derrière ses rideaux. Le salaud l'avait bien plantée. Il avait tiré son coup et il se barrait maintenant, alors qu'elle avait désespérément besoin de savoir.

Elle se détourna de la fenêtre et embrassa du regard le désordre luxueux qu'un tête-à-tête d'une heure avait créé dans son living-room. Pour le dérèglement, il en connaissait un rayon, le petit Léonard ! Ce n'était pas pourtant en faisant du ménage qu'elle noircirait des pages, ni dans les plis des draps qu'elle trouverait la matière pour son prochain récit.

Elle s'arrêta au bord du scabreux, même pas déridée.

Le seuil, c'est vrai qu'il la bassinait depuis longtemps pour qu'elle le franchisse. Il ne manquait plus une occasion de la charrier à présent, qu'elle était la frimeuse, la glandeuse, la branleuse de l'interligne. Exaspérée, elle se regarda dans le miroir au-dessus du manteau blanc de la cheminée moderne et susurra le mot entre ses lèvres dans l'espoir confus qu'il lui ouvre la voie. Mais non, décidément, il n'avait aucun goût ce mot, il était plat, résolument, comme son encéphalogramme d'écrivain érotique si on le mesurait à cet instant précis.

Elle passa dans la pièce voisine, deux marches plus haut, et s'assit à son bureau devant sa petite machine portative, pas commode peut-être comme le lui disaient ses confrères en littérature, mais qu'elle aimait bien. Jamais elle n'avait pu se faire à ces grosses machines silencieuses d'où la lettre s'échappait avant même d'avoir été sollicitée. Une feuille était engagée dans le cylindre et arborait le numéro quinze.

Elle soupira, furieuse contre le petit gigolo.

Quinze jours, c'était un sacré retard qu'elle avait accumulé pour rendre son manuscrit à l'éditeur. Le Rimbaud de la Garenne-Colombes avait bien choisi son moment pour décider la grève des histoires vécues. Pourtant, qu'est-ce que ça lui coûtait de lui planter un nouveau décor ? Est-ce qu'il ne lui avait pas déjà donné le parking Bergson, l'allée de la Longue-Queue et quelques autres ?

Le téléphone grelotta, puis sonna franchement. Elle décrocha.

C'était Bernard, le directeur littéraire. Le vernis s'écailla en petites miettes glissantes sur sa voix quand elle prit les devants courageusement.

« Une semaine, Bernard, juste une petite semaine.

– Si vous me dites où vous en êtes, Franca...
– Mais loin, Bernard, loin. Vous m'interrompez sans cesse !
– Dans ce cas... »

Elle crut la partie gagnée, un instant presque merveilleux. C'était superbe de pouvoir compter sur son talent de comédienne.

« Dans ce cas, vous me donnez le début, Francesca, et nous gagnons du temps. »

Le vampire. Elle faillit raccrocher.

Une vague de franchise la submergea brusquement, elle manqua tout lui dire. Dire qu'elle en était lasse à pleurer de ces histoires, qu'elle avait le cerveau comme un champ de blé après la moisson. Dire qu'elle ne l'avait même pas, ce début. L'autre, au bout du fil, après un silence, continua à couiner. Elle l'entendit mentionner le nom du coursier qu'il lui envoyait et répondit oui, machinalement. On pouvait lui envoyer le diable pour le même prix. Elle raccrocha avec infiniment de lenteur et se prépara à sortir.

Elle n'avait rien à faire dehors, c'était une fuite. Elle pensa à Léonard, le pied indécis, mais Léonard se partageait entre plusieurs piaules, et ces piaules, si tant est qu'elle en retrouve l'adresse dans son carnet, n'avaient pour elle qu'un attrait littéraire. La seule perspective d'avoir deux ou trois Léonard à braver dans un garni psychédélique lui collait d'emblée des vertiges.

Elle sortit un trousseau de clefs de son sac et descendit du trottoir. Une adresse lui trottait dans la tête du côté de la Nation.

Elle n'entendit pas distinctement l'engin, mais seulement le cri :

« Attention ! Attention, mademoiselle Lorre ! »

Elle bondit en arrière, le souffle du motard sur elle comme un défi. Elle trébucha dans les bras du gardien. Le cerbère de l'immeuble, facho bon teint, avait une tendresse pour elle en dépit de ses « exécrables relations » et l'occasion était trop belle pour ne pas faire un peu d'idéologie :

« La rage, mademoiselle Lorre, vous la soignez au whisky, c'est votre affaire, mais si vous voulez mon avis... »

Complètement sourde, Francesca approuva solennellement et se laissa asseoir dans sa voiture. Elle se sentait molle et nauséeuse, incapable de conduire. Pourtant, elle démarra.

Porte Maillot, elle prit l'avenue de la Grande-Armée, puis l'avenue Marceau, puis les quais, guidée par le hasard des artères les plus libres. Août tirait à sa fin et Paris retrouvait ses embouteillages. En plus, il était six heures.

L'image de l'homme s'installa dans son rétroviseur à un feu et ne la lâcha plus. C'était un motard banal, à première vue plutôt modéré sur le cuir, pas plus martial qu'un autre sous le heaume rouge sang. Cependant, dès le début, sa présence insistante exerça une contrainte sur sa conduite. Il ne suffisait plus de se laisser porter par le flot des voitures, il fallait aller quelque part, trancher dans le magnétisme. La voie expresse était dégagée, elle l'enfila sur un coup de tête, dangereusement. Elle appuya sur l'accélérateur. La voiture lui parut se traîner, soixante-cinq, soixante-dix, à croire qu'il y avait une cinquième vitesse qu'elle ne trouvait pas. Dans son rétroviseur, l'homme dansait imperceptiblement. La partie la plus fascinante de son corps était la tenaille ouverte de ses cuisses.

Pont au Change, elle obliqua sans prévenir vers la bretelle et le hurlement des freins de la moto derrière elle lui parvint dans un brouillard d'espoir. Elle l'avait décroché, ce petit salaud, elle l'avait feinté. Heureusement que l'avenue Victoria était bouchée, car sa victoire lui donnait le tournis. Elle arrivait à peine à conduire. D'une main tremblante, elle alluma une cigarette et réfléchit à l'incident. C'était à la fois déroutant et risible qu'elle ait été si choquée. C'était surtout vexant parce que ça signifiait que son imagination n'était pas aussi tarie qu'elle le croyait, que cette garce se mettait en frais pour rien, pour la mauvaise cause et au mauvais moment.

Elle repartit pour un mètre entre deux camions.

La moto se glissa à sa hauteur sans pétard inutile ni agressivité factice – une lame. Longuement, elle regarda la main qui se dégantait et tombait sur la poignée de la porte.

Quelque part on klaxonna. Elle cria :

« Léonard ! »

Elle savait pertinemment que ce n'était pas Léonard. Léonard était sale, exigeant, parano, mais il n'était pas terrifiant. Ça se voyait sur son visage qu'il était un fruit acide de ce système déglingué, mais, si dingue il était, c'était vivant, humain. Ce n'était pas froid, indifférent comme ce geste au milieu d'un embouteillage parisien. Elle se jeta sur l'autre porte et l'ouvrit.

On klaxonnait de partout maintenant. Les voitures lui paraissaient si hautes, tels des camions, des autobus, qu'elle était écrasée par un sentiment de claustration. Elle était trop petite, trop faible, des jambes de poupée.

Une percée se fit dans ce conglomérat métallique, qu'elle exploita aussitôt. Le trottoir n'était pas loin après tout, gris de foule compacte, protectrice. Elle fonça droit sur une porte, sourde aux protestations du portier et se réfugia dans un ascenseur.

« Il est vingt, madame...

– Pardon ?

– Six heures vingt. Vous n'auriez pas dû entrer, le magasin va fermer...

– Mais je... je... »

Francesca enregistra simultanément deux choses qui aiguillonnèrent son instinct de fuite : d'un côté il y avait le fou qui approchait sur le trottoir, à quelques mètres de la porte barrée par le cerbère maison, et de l'autre une flopée de clients dont les pas faisaient grincer les marches du vieil escalier de bois.

Alors, elle eut un geste urgent vers la liftière et fila se glisser à contre-courant de la petite foule.

Elle atteignit ainsi le premier étage. En soi c'était une victoire, mais une victoire sur quoi, elle n'aurait pas su le dire, elle fonctionnait déjà comme un automate.

Elle était à l'étage des vêtements et du matériel de sport. Elle nota rapidement que, parmi les derniers acheteurs, il y avait un gros type qui ne se décidait pas pour la couleur d'un survêtement. Comme il la dissimulait au regard de la vendeuse, elle en profita pour regarder en arrière. Mais c'était difficile de regarder en arrière; elle était hors du temps soudain, de l'espace, dans la zone brouillante et perdue d'une peur bête à pleurer. Finalement l'homme se décida pour un jaune cocu qui lui siérait comme un frac à une vache et le temps s'accéléra.

D'en bas, des cris montèrent, le portier sans doute. Le colimaçon des clients s'incurva dans l'escalier. Elle pensa qu'il montait et en fut complètement chavirée. Déjà, elle voyait le plafond tourner, le décor basculer.

Mais ce n'était pas le décor tout entier, rien qu'une porte quadrillée de miroirs. Elle pivota dans l'axe du couloir et donna passage à un jeune homme furtif, le visage mangé par une paire d'énormes lunettes noires. Il était si pressé, si noir derrière ses vitres qu'il la bouscula au passage en disant pardon. Francesca hocha la tête, épouvantée et se rua sur la porte avant qu'elle se referme. Une sonnerie stridente explosa dans les haut-parleurs. Elle se retrouva dans un réduit moite; sur trois côtés, des portes en bois, et sur le quatrième un bac en céramique surmonté d'une glace mouchetée. Elle effleura son reflet dans le miroir et se jeta sur le verrou chancelant d'un W.C. Maintenant, elle était dans un boyau étroit, à deux pas d'une lunette sur laquelle elle fondit, à bout de souffle.

Elle demeura dans cette position, l'esprit vide, pendant une bonne minute. Confusément, elle entendait le monde bruissant au-delà des portes, mais c'était un univers hostile, nocif dont elle n'attendait rien. Elle qui était l'équilibre même, l'harmonie personnifiée, la femme épanouie, avait un mal immense à se retrouver dans ce petit tas effondré sur la lunette d'un W.C. d'hommes. Il y avait loin du fantasme à l'action, elle l'avait subodoré chaque fois que Léonard la poussait dans ses retranchements. Mais à présent c'était là, palpable, une évidence : une nana piégée dans des chiottes d'hommes.

Surprise par les mots qui lui montaient aux lèvres, Francesca les répéta lentement, ragaillardie tout à coup. Ces mots de Léonard naturellement pervers étaient une bouée dans l'océan de son désarroi. Il les avait prononcés alors que ça n'avait pas d'importance, mais que la scène ait germé dans son cerveau, c'était la preuve qu'elle n'inaugurait rien, qu'elle s'en sortirait.

En nage, elle ouvrit son chemisier et dégrafa sa jupe. Le chuintement de la chasse d'eau lui donna envie d'uriner. Elle se soulagea. Ensuite, plus à son aise, elle laissa son regard errer sur les graffiti inscrits sur la porte et les murs verdâtres. Elle aurait été bien bête de ne pas en profiter, d'autant plus que c'était un exemple typique de ce qu'elle n'aurait jamais osé faire. Mais il y en avait tellement qu'elle regretta de ne pas avoir son carnet pour prendre note de toutes les propositions. Elle les aurait classées par ordre croissant de bizarrerie. Celle-là, notamment, où l'auteur racontait la gare de Florence et ses belles passagères à travers le trou d'une cloison habilement forée pour n'embrasser que des culs blancs appuyés sur le vide. A cette lecture, Francesca eut un frisson plaisant, presque un sourire du corps, qui lui dissimula un toussotement derrière le mur. Elle souhaitait être un homme, elle enviait aux mâles cet érotisme prompt, carré – et tant pis s'il était puéril. Dans ces moments-là...

Une voix rauque ébranla le silence de sa rêverie :

« Montre tes fesses ! »

Elle se figea dans une posture grotesque, le derrière soudé à la cuvette, le cou tendu en avant vers les hiéroglyphes de la porte. L'écho de cette voix lui trottait dans le cerveau, plus ou moins déchiffrable, épais.

Une vague de peur la submergea à l'idée que ce pouvait être le dingue.

Elle se leva et se colla à la porte. Elle avait les lèvres sèches et les doigts crispés sur les plis de sa jupe. Si près de la porte, elle en sentait l'odeur de vernis javellisé. Son œil accrocha un filet de lumière et prit la dimension du trou. Il était gros comme un crayon à moitié bouché par du papier mâché, mais on voyait parfaitement le miroir crasseux de l'autre côté. L'idée qu'elle était dans un abri poreux, percé comme un gruyère, l'horrifia, d'autant plus qu'elle s'était crue cachée, qu'elle s'était laissée aller à des gestes bénins mais tellement intimes. Lentement elle se détacha de la porte et pivota avec raideur sur elle-même. Elle voyait des trous partout maintenant, au sol, au plafond, aux murs. Il y en avait, dans chaque lettre un peu ronde, dans les « o » et les « q », dans la perspective des anatomies monstrueuses ébauchées tout autour d'elle, là... Elle plaqua ses deux mains contre la porte abandonnant sa jupe qui tomba. Elle entendit un « Ahh » prolongé. Derrière, elle en était sûre. La fureur et la honte lui embrasèrent les joues.

« Mais...

– Chut ! »

C'était le comble... et le pire fut qu'elle se conforma à cet ordre bref. Bien sûr le silence était de mise dans un rendez-vous pareil, il était de mise même sans rendez-vous. Mais de penser qu'elle était là, cul nu, interrompue dans son mouvement et tout entière livrée au regard d'un inconnu qu'elle ne situait même pas avec précision, peut-être à cette hauteur ou à celle-là, bien installé, la bouche pleine d'autres exigences encore, sûrement... Il n'y avait plus de limite si elle cédait. Elle se retourna. Elle n'avait pas pesé la décision et en fut vaguement fière. C'est ainsi qu'on reprenait l'initiative aux voyeurs.

Derrière le mur il y eut un remue-ménage, puis des gargouillis incompréhensibles, puis ces mots, clairs et nets, qui la déconcertèrent un peu plus :

« Merde alors ! »

Elle fut surtout vexée. Elle était trop fine pour ne pas discerner le dépit dans ce « merde ». Qu'est-ce qu'il se croyait, le mateur de pacotille ? Comme toutes les femmes, elle avait horreur qu'on lui siffle le cul mais elle détestait encore plus qu'on le déprécie. Elle était sur le point de répondre quelque chose de senti quand la vérité se fit jour, cocasse avec une pointe d'inconnue. Alors ce fut à elle d'avoir le juron aux lèvres.

Evidemment, le malin avait cru à autre chose, c'était logique dans un domaine strictement mâle où il convenait de tout basculer et de tout invertir. La masculinité grammaticale des graffiti lui sautait aux yeux à présent, un peu tard, comme chez le Florentin. Curieux à quel point on arrive à lire et à comprendre le contraire de ce qui est écrit ou dit. Mais indéniablement, l'autre l'avait prise pour un homme, pour un garçon.

Avec un frisson de soulagement, elle se baissa pour remonter sa jupe. Elle se rendait compte seulement maintenant qu'elle n'avait pas de culotte; elle avait dû s'habiller à la hâte, exaspérée par la scène que lui avait faite Léonard, puis par l'appel de Bernard. Mais quelle importance, on pouvait vivre sans! Quelques minutes encore, quelques instants, avant de sortir du trou, de reprendre une vie normale.

Chantante, quasiment déchargée, la voix relança derrière le mur :

« Dis donc, tu m'as bien eu! Un moment j'tai pris pour un mec super... Tu sais qu'à cause de toi on est bouclés pour la nuit? »

Le naturel de la voix l'épata plus que tout. C'était comme le téléphone désormais, on se parlait autour d'une table de bistrot, en faisant la queue chez le fruitier, le train-train des banalités sociales. Elle acheva de se reboutonner, bien décidée à ne pas répondre. Elle avait assez ri. Quand elle se jugea présentable, elle manœuvra la targette. Alors l'autre tapa contre la cloison, de nouveau pressant.

« Déconne pas, tu vas tomber sur le bougnoule.

– Sur qui?

– Ben, l'négro qui passe l'éponge... Tu vois, à c't'heure-là il est au-dessus, y va descendre, tu voudrais pas lui tomber dans les bras, non? »

En son for intérieur, elle convint que non. Tardivement, la réalité de la situation lui apparaissait dans tout son inconfort. Il lui serait difficile d'expliquer sa présence dans cet endroit. Elle ferait rire, on imaginerait le pire il n'y avait dehors que le sauvage dont parlait le voyeur. Elle décida de jouer le jeu; après tout, elle n'avait rien à craindre de ce monsieur qui apparemment connaissait la musique. Elle répondit d'une voix aussi plate que possible :

« Evidemment, mais je ne vais pas passer la nuit ici. »

L'autre fit entendre un ricanement qui lui fut odieux.

« Evidemment... d'autant que dans moins d'une minute, il va venir voir. T'auras pas intérêt à y être.

– Comment ? »

Il y eut un silence. Le cœur de Francesca battait à tout rompre. Elle imaginait déjà un Noir haut comme le Kilimandjaro avec des battoirs d'ébène aux doigts lestes. Il n'y aurait pas d'explication avec lui, pas de conversation.

Proches, très proches, elle entendit des pas.

« Ouvre la porte et planque-toi derrière, aussi petite que tu peux. Okay ?

– Okay. »

Elle obtempéra, paniquée.

Quelqu'un tira la première porte à battant, puis la seconde. L'homme était là. Elle n'essaya pas d'imaginer ce qui pouvait arriver. Les boots caoutchoutées du type suçaient le lino poisseux, elles avançaient, elles piétinaient, elles faisaient silence dans le coin après la deuxième cabine.

Au bruit, Francesca comprit que l'homme évacuait dans l'urinoir. Ça lui laissait quelques secondes de plus. Elle en profita pour inspirer, longuement, silencieusement, les yeux fermés, les narines ouvertes. L'homme appuya sur le poussoir qui déclenchait la chasse d'eau, puis se retira sans plus de curiosité. Des deux côtés de la cloison, ils explosèrent de soulagement, presque amis.

« Je m'appelle Marc, et toi ?

– Franca.

– T'as une idée de la suite, Franca ?

– Non.

– Je t'expliquerai. D'ici cinq minutes on pourra sortir, on sera peinards jusqu'au matin, enfin à peu près. Tu me dis ce que tu fabriques ici ? »

Elle ne répondit pas, mais consulta sa montre à la place. Il n'était que 19 heures 10. Avait-il parlé de matin ?

« Go ! »

Elle eut un bref moment de gêne en l'entendant sortir de la cabine voisine. D'accord, il n'était pas porté sur ses charmes, mais il l'avait vue dans une posture assez peu digne.

Elle fut surprise, sans savoir pourquoi, par la qualité du garçon dont la silhouette se découpa dans l'embrasure de la porte. Blond, rieur, décontracté, le front lisse, sans trace des sinistres rides des voyeurs patentés, il aurait pu faire l'affaire dans une boîte, dans un cocktail de presse, de l'autre côté d'une bougie dans un restaurant tranquille, partout, quoi.

« Salut.

– Bonjour. »

Au deuxième regard, elle reconnut qu'il y avait une petite lueur dans ses yeux, un point d'extraordinaire, c'est vrai, mais il fallait une professionnelle comme elle pour le déceler.

C'était comme un rêve d'enfant à Noël, l'impression folle de posséder le monde des objets. D'un étage à l'autre, ce n'était que pléthore inanimée, profusion presque absurde depuis qu'elle n'était plus tentation, sa qualité première. Il suffisait de laisser traîner les bras pour tout avoir. Le regard s'engorgeait jusqu'à satiété. Francesca se dit que, seule, elle aurait eu une indigestion de cette opulence. Elle se serait dissimulée dans un petit coin jusqu'à sa délivrance, à l'abri de ce silence de marchandises, près d'une fenêtre ou d'une porte comme on va chercher de l'air. Lasse, elle s'appuya contre une large vitre et chercha le garçon du regard. Il avait disparu. L'angoisse la submergea, visqueuse comme le reflet des eaux de la Seine qui coulait de l'autre côté de la fenêtre, plus bas, si loin.

« Marc ! »

L'appel se répercuta aux quatre coins du magasin.

« Où es-tu ? »

Elle qui n'avait pas le tutoiement facile débordait soudain de familiarité pour ce compagnon de hasard. Il était impossible, inconcevable, qu'il la plaque. Elle vit s'avancer une silhouette entre les rayons, féminine, inconnue, et son dos se raidit. Elle n'avait pas prévu ça : que ce monstre sécréterait cette vigile aux jambes nues sous le fourreau kistch, avec sa bourrasque de cheveux roux et sa poitrine plate de mâtonne perverse. Elle se sentit glisser.

L'autre venait droit vers elle, les lèvres teintées, le sourire élargi, dévorant. Sa mémoire lui joua un tour, et elle balbutia, suffoquée :

« C'est toi Nina, c'est toi ? »

Quand elle était toute petite, il y avait eu la grande Italienne, une diablesse. L'abandon tourbillonnant d'un été dans la pénombre des cabines en bois. Morte à Venise. Mais non, ce n'était pas Nina, elle devenait folle. Elle se déroba au bras qui la cherchait.

« M'accordez-vous cette danse ? »

L'imbécile... Elle sentit la chaude saillie du sexe contre elle tandis qu'il l'entraînait dans un pas de danse. L'équivoque la troublait plus qu'elle n'aurait cru. Entre les aquariums ronronnants, elle rit en se laissant mener, tant le flou sexuel avait un charme insoupçonné. Son cavalier s'arrêta au pied d'un escalator, ravi.

« Je suis bien ?

– Superbe. »

Elle le pensait. Elle avait chaud parce qu'elle pensait à Léonard en même temps. Léonard dans ce fourreau craquant, une image qui la vengeait d'une « Nana piégée dans des chiottes d'hommes ».

« Alors, explique à une créature aussi superbe ce que tu fabriquais au bout de mon télescope ? J'ai toujours pas compris. »

Elle lui expliqua. Il hocha la tête. Elle se rendit compte qu'il y avait des sentiments, des sortes d'infra-sentiments, qu'on ne pouvait pas communiquer. Il n'était pas sceptique, inaccessible seulement. Elle n'insista pas.

« Il faut se tirer maintenant... Peut y avoir des rondes, et puis les femmes de ménage au matin...

– Partir ? Comment ?

– Viens ! »

Ils descendirent au sous-sol. Le garçon avait remis ses vêtements d'homme et la pilotait vivement entre les stands vers un bureau intitulé des objets trouvés. Au fond du bureau, il la fit pénétrer dans un placard.

« Là, regarde cette grille, elle donne dans le premier sous-sol du parking, c'est pas super, ça ? »

Il frappa légèrement du plat de la main et la grille se souleva. Le ronflement ténu du souterrain leur parvint.

« Je monte le premier parce que c'est un peu dur; d'en haut, je te hisserai. »

Elle approuva et le regarda se faufiler dans le trou. Ce n'était pas large, mais praticable; au pire, ce serait sale. De toute façon elle avait besoin d'une douche.

« A toi. »

Il lui tendit une main.

« Okay, mets ton pied là ! »

Elle prit appui sur le dessus d'une armoire métallique et engagea carrément le buste dans le trou. Le sas entre les deux univers sentait l'asphalte, l'essence et l'urine. Elle prit son élan et émergea facilement, trop. Assise au bord de la grille comme une évadée, la tête lui tourna. Le flash rouge d'un casque de motard lui donna un coup quelque part dans le cœur. La salive lui manqua.

« Qu'est-ce que t'as ? Qu'est-ce que t'as ? »

La voix du joli voyeur lui arrivait, déformée par le malaise renaissant, fluette, suraiguë.

« Il est là... là...

– Mais t'es folle, c'est un mec qui drague... Les mecs qui draguent sont pas méchants. »

Elle redescendait déjà, happée par une force viscérale.

« Je te dis que c'est lui... Marc, vas-y ! Va lui dire... »

De l'intérieur du placard, le visage adolescent, légèrement maquillé du garçon, se transforma dans la lueur pisseuse des veilleuses du parking. Il se barricadait soudain, devenait soucieux, buté.

« Oh ! mais dis, j'suis pas King Kong, moi ! J'vais pas me battre avec ton fortiche... démerde-toi ! »

Elle n'entendit pas la fin. Elle avait déjà repris la grille à deux mains et tâtonnait autour des chevilles qui l'assujettissaient au toit du placard. Il n'était plus question qu'elle sorte désormais par là, c'était tout à fait impossible. Elle entendit des pas s'éloigner et cracha un sanglot en serrant les poings.

Elle s'endormit, rayon camping, au troisième étage, sur un matelas pneumatique. Quand elle se réveilla, il était trois heures passées et le feu puissant d'une torche zébrait la tranquillité de ce décor figé. Elle pria pour qu'il l'évite et fut exaucée. Le faisceau l'effleura. Elle repartit dans un sommeil plombé.

Elle se réveilla une seconde fois à cinq heures et demie. Le hurlement d'une sirène d'ambulance sur le quai arrivait assourdi, absorbé par la touffeur de l'air. Elle se frotta les yeux et rajusta son chemisier dont un bouton avait craqué. Par les vitres vieillottes du grand magasin pénétrait une lueur vaguement bleue, celle d'un jour à son commencement. Elle pensa au matin. Le voyeur avait parlé de quelque chose au matin... Oui, les femmes de ménage. Elle se précipita, pieds nus, vers l'escalator. Elle trouva rapidement, au rez-de-chaussée, par une porte placardée « réservée au personnel » les vestiaires des préposés.

Les blouses étaient bleues, longues, apparemment peu seyantes, assorties d'un calot numéroté. Elle en choisit une à sa taille et chercha un endroit pour attendre. La salle de repos était trop nue, elle la traversa rapidement et poussa une autre porte. L'essentiel était de pouvoir se mêler en douceur à ses « collègues ». A l'odeur de savon et de désinfectant, dans la lumière de la porte entrebâillée, elle reconnut une salle de douches. Le bac en céramique coupé de rideaux diversement tendus sur leur tringles faisait toute la longueur d'une pièce sans fenêtre, basse de plafond. Elle se retourna et prit la mesure du silence. Si le magasin ouvrait à neuf heures trente, il n'y avait pas de raison pour que les filles arrivent avant sept heures. C'est-à-dire dans une heure au plus tôt. Elle se dévêtit prestement et tendit la main vers le robinet. Elle aurait souhaité l'eau bouillante, mais elle dut se contenter d'une modeste tiédeur. Pourtant le crépitement compensait. Sur son crâne, ses épaules, sur son dos qu'elle arrondissait, il la nettoyait de tout, à coups de fouet bénéfiques. Sur ses cuisses et ses seins, fouaillés, aiguillonnés, sa peau s'horripilait d'une volupté suffoquée. Elle regretta l'absence de savon, elle se serait voulue enduite, lisse comme un galet, marine, intouchable.

Soudain, elle fut étreinte aux hanches et pliée brutalement. Le rideau auquel elle s'accrochait craqua. L'équerre se descella dans un poudroiement de plâtre. Elle sentit à la nuque une projection de morve ou de salive, la brosse d'une barbe, peut-être d'une moustache.

« Ma garce... ma foutue garce... T'es bien en avance ce matin ou c'est qu'tu viens faucher... Dis, qu'est-ce que t'as là ? Oui, là ? »

Une main lui traversa les cuisses, grasse et fulgurante et son ventre s'embrasa d'un seul coup. Elle pédala dans le fond d'eau. Entre l'envie de rire et de hurler, elle avait le souvenir incongru de gestes natatoires, un bras entre les fesses et la bouche au ras de l'eau. Seulement, cette fois, le fond avait le contact morbide et grumeleux du bac. Il y avait longtemps qu'elle avait coulé. La surface lui pleuvait dessus, la pomme la compissait d'un plafond introuvable. Elle expédia son coude en arrière.

« Salope ! »

Le type était touché, elle respira. Elle se mit à genoux et avança tant bien que mal, l'entrejambe tartiné d'une graisse infecte qui la rongeait de la vulve à l'anus. Elle manqua se pulvériser les rotules contre le rebord, mais elle se redressa enfin, nue et ruisselante.

Il y avait quelqu'un dans l'embrasure de la porte. Une femme au calot étoilé. Narquoise, elle lui dit :

« Je ne t'avais jamais vue nue, Fatima. Tu sais que tu es magnifique ? »

Elle ne chercha pas à rectifier la méprise. La femme avait un sourire de louve qui lui barrait la sortie. Elle choisit de se battre et fonça tête baissée. Elle entendit le craquement du bois, le battant de la porte qui volait contre le mur, mais elle ne s'arrêta pas, pas avant la sortie.

Le rideau de fer était entrebâillé, il y avait déjà du monde dehors, des vieux qui attendaient. Ils firent les yeux ronds en la voyant nue, bonne à essorer. Elle eut envie de pleurer.

« Excusez-moi... »

Elle l'aperçut enfin, haut et serein, qui fendait la petite foule. Etrangement, elle ne fut pas surprise; rien ne tressaillit en elle, comme si elle avait passé la nuit à se préparer à cela. Soumise, elle courba la nuque et enfila un pied après l'autre dans les jambes de la combinaison.

La moto était appuyée sur sa béquille, au bord du trottoir, massive et ronronnante, et elle prit place derrière avant qu'il ne l'invite – l'impression d'être fendue là-dessus.

Puis Paris défila dans la fraîcheur calme d'un matin d'août. La Concorde, les Champs-Elysées, la perspective de la Défense. Porte Maillot, la moto bifurqua sur la gauche et elle vit la masse noire de l'asphalte foncer sur elle. Elle ne connut que peu de temps cette nausée vertigineuse, car la moto décélérait et s'arrêtait.

Il s'inclina vers elle.

« Je vous en prie.

– Vous vous moquez de moi ?

– Pas du tout.

– Chez moi ? »

L'autre avait soulevé la visière de son casque et approuvait poliment. Pas une ombre de menace dans ce regard. Un instant, elle eut envie de le gifler. Elle mit pied à terre et courut vers l'entrée de son immeuble. Elle ne salua pas le cerbère derrière son écran vidéo qui la vit, stupéfait, tambouriner sur le bouton d'appel de l'ascenseur. Elle n'avait pas besoin de regarder en arrière pour savoir que l'autre ne la suivait pas. Le commis d'édition. Elle actionna le bronze de sa porte et entra. Elle reconnut le parfum de Bernard. Il était assis devant sa machine à écrire et fumait une cigarette. Elle lui tomba dessus à bras raccourcis.

« Bernard... Salaud ! Enfoiré ! »

Comble de provocation, il sourit, l'encouragea :

« Bon, Franca, très bon, ces gros mots dans votre jolie bouche. Vous ne pouvez pas savoir quel effet ça fait. Continuez... plus cochon... plus dégueulasse... »

Elle ne trouva pas ou plutôt trop, ça se bousculait dans sa bouche, un bégaiement obscène qui aurait collé Léonard au tapis de la langue verte. Une scène de vengeance horrible faisait suite à ce raz-de-marée, délicieusement appareillée, avec pal, pincettes et onguents corrosifs. Un long moment, elle ne sut où donner de la tête tant c'était vivant et détaillé.

Peu à peu, elle reprit son souffle, les doigts parcourus d'un fourmillement agréable. Quand elle fut à peu près cohérente, elle découvrit qu'elle était seule dans la pièce, rideaux tirés, inspirée. Elle se débarrassa de la combinaison, décrocha son téléphone pour le cas où Léonard la rappellerait, et, nue, s'assit devant sa machine et se mit à taper, comme ça venait.

TABLE DES MATIÈRES

DU MÊME AUTEUR

Chez le même éditeur :

BLANCHE ET LUCIE, roman.
LE CAHIER VOLÉ, roman.
LES ENFANTS DE BLANCHE, roman.

Chez Jean-Jacques Pauvert :

O M'A DIT, entretiens avec l'auteur d'HISTOIRE D'O.

Chez Jean Goujon :

LOLA ET QUELQUES AUTRES, nouvelles.

Aux éditions du Cherche-Midi :

LES CENT PLUS BEAUX CRIS DE FEMMES.

Aux Éditions de la Table Ronde :

LA RÉVOLTE DES NONNES, roman historique.

A paraître :

ENFANCES ET ADOLESCENCES, roman.

« Composition réalisée en ordinateur par IOTA »

IMPRIMÉ EN FRANCE PAR BRODARD ET TAUPIN
58, rue Jean Bleuzen - Vanves - Usine de La Flèche.
LIBRAIRIE GÉNÉRALE FRANÇAISE - 6, rue Pierre-Sarrazin - 75006 Paris.

ISBN : 2 - 253 - 03049 - X

30/5696/7